Das neue 1 x 1 des
→ Zeit
management

Der Klassiker, jetzt in 25. Auflage.

Inhalt

3. Tun Sie sich etwas Gutes!   45

Service   90

› Tipp

Die Arbeitsvorlagen der Seiten 19, 26/27, 31, 39, 62 und 93 gibt es auch im Internet zum kostenlosen Download unter: www.seiwert.de/GU-Ratgeber

Wenn Sie Themen des Buches konsequent trainieren und umsetzen wollen, hilft Ihnen die 567-Methode: 5 Minuten fokussiert lernen, 6 Stunden umsetzen, 7 Minuten Feedback geben. Gehen Sie dazu ins Internet unter: www.seiwert.de/GU-Ratgeber/567-Methode. Sie können aus verschiedenen 567-Modulen auswählen. Ein Modul inklusive abschließendem Wissenstest kostet einen Euro.

Rund um das Thema Zeit- und Lebensmanagement finden Sie zahlreiche weitere Informationen wie Fachartikel, Checklisten, Tests sowie täglich neue Videotipps zum Anschauen und einen regelmäßigen Newsletter zum kostenlosen Abonnieren unter: www.seiwert.de

Downloads und Tipps dazu, wie Sie „mehr Zeit fürs Glück" finden und Ihren Alltag ausgeglichener gestalten, erhalten Sie unter: www.bumerang-prinzip.de

Vorwort

Zeit für Ihren Erfolg

Deutsche Manager arbeiten im Schnitt 10,7 Stunden am Tag, und das oft sechs oder sieben Tage die Woche, wie eine Studie der Firma Lexmark (siehe Buchtipps) ergab. Damit liegen sie vor ihren europäischen Kollegen. Mit einem optimalen Zeitmanagement könnten diese Manager deutlich weniger arbeiten und mehr erreichen. Und das gilt auch für Sie, ganz egal, welcher Tätigkeit Sie nachgehen.

Die meiste Energie und Zeit verpufft, weil klare Ziele, Planung, Prioritäten und Übersichten fehlen. Zeitmanagement bedeutet, die eigene Arbeit und Zeit zu beherrschen, statt sich von ihnen beherrschen zu lassen. Wenn Sie Ihre Zeit besser nutzen, gewinnen Sie in zweifacher Hinsicht:

> Sie steigern Ihre Arbeits- und Leistungserfolge und damit Ihr Einkommen. Auch hier gilt: Zeit ist Geld!

> Sie gewinnen mehr Zeit für andere wichtige Dinge, etwa Freizeit, Familie, Freunde und Fitness, denn: Zeit ist Leben!

Es geht um Sie

Erfolgreiches Zeitmanagement hängt mehr von der richtigen Einstellung und konsequentem Verhalten ab als von ausgefeilten Techniken und trickreichen Methoden. Ohne ein Mindestmaß an persönlicher Selbstdisziplin geht es also nicht. Dies ist der Anteil, den Sie selbst einbringen müssen – jeden Tag!

Ihr **Lothar Seiwert**

www.seiwert.de

1. Wo bleibt Ihre Zeit?

»Die Zeit ist
wie der Wind:
Richtig genutzt,
bringt sie uns
an jedes Ziel.«

Lothar Seiwert

Wo bleibt Ihre Zeit?

Nutzen Sie die Zeit

Zeit ist das wertvollste Gut, das wir besitzen – übrigens auch das meistbenutzte Hauptwort der deutschen Sprache. Zeit ist mehr wert als Geld, und deshalb müssen wir unser Zeit-Kapital sorgfältig anlegen. Unsere wichtigste Aufgabe im Leben ist es, so viel wie möglich aus der uns zugeteilten Zeit zu machen. Das bedeutet aber nicht, noch mehr Aktivitäten in unsere Tage, Stunden und Minuten hineinzupacken, sondern unsere Lebenszeit intensiver und bewusster für das zu nutzen, was uns wichtig ist – für die schönen Dinge des Lebens, für Genuss und Muße, für Visionen und Erfolg.

Zeit ist ein wertvolles Kapital:
> Zeit ist ein absolut knappes Gut
> Zeit ist nicht käuflich
> Zeit kann nicht gespart oder gelagert werden
> Zeit kann nicht vermehrt werden
> Zeit verrinnt kontinuierlich und unwiderruflich
> Zeit ist Leben

Unser begrenztes Zeitkapital ist nur schätzbar: Auch bei einer höheren Lebenserwartung verfügt man maximal über 200 000 Stunden noch verplanbarer Zeit. Erschwert wird unsere persönliche „Zeit-Rechnung" durch den Unterschied von realer und empfundener Zeit: Im Urlaub etwa vergehen zwei Wochen wie im Flug. Auch bei Tätigkeiten, die uns Spaß machen und in die wir ganz versinken, können wir völlig das Zeitgefühl verlieren. Man nennt dieses Gefühl „Flow". Es ist ein Glückserlebnis, das uns alles um uns herum vergessen lässt. Gerade diese Zeit, die sehr schnell vergeht, ist oft besonders kostbar und erfüllt.

Umgekehrt dehnen sich zwanzig Minuten ins Unendliche, wenn wir nach der Arbeit auf die S-Bahn warten müssen. Auf diese Zeit würden wir gern verzichten.

Obwohl Zeit ein knappes Gut ist, gehen wir nicht gerade sparsam damit um. Die meiste Energie und Zeit verpufft, weil klare Ziele, Planung, Prioritäten und Übersicht fehlen.

> Tipp

Egal, ob sie schnell oder langsam vergeht, wir können die Zeit nicht anhalten, können sie nicht horten. Aber wir können sie sinnvoll verbringen, statt sie zu vergeuden.
Denken Sie daran: Heute beginnt der erste Tag vom Rest Ihres Lebens!

Selbst-Test: Einschätzung

Welcher der folgenden Aussagen stimmen Sie zu?

Bitte addieren Sie alle Kreuzchen in der Spalte **0** = Stimmt nicht
„Stimmt" zu einer Punktzahl. **1** = Stimmt

	0	1
Wie viele Berufstätige leide auch ich unter Zeitnot und Arbeitsüberlastung (Überstunden-Syndrom).	☐	☐
Ich fühle mich häufig gestresst. Oft müssen viele Dinge gleichzeitig erledigt werden. Die hohe Verantwortung, die enorme Arbeitsmenge, häufig kurzfristige Termine, die Vielfalt der Aufgaben und andere Leistungsanforderungen setzen mich unter Zeitdruck und Stress.	☐	☐
Oft arbeite ich nicht, sondern werde „gearbeitet". Ich kann dann nur noch reagieren, statt zu agieren. Rund um die Uhr nehmen mich die Kunden, mein Chef, die Mitarbeiter, Telefonanrufe und vielfältige Arbeiten so in Anspruch, dass ich „rotiere".	☐	☐
Ich erledige meine eigentlichen Aufgaben häufig erst nach Dienstschluss. Tagsüber komme ich nicht dazu, weil es viele Störmomente gibt und ich durch Nebensächlichkeiten abgelenkt werde.	☐	☐
Zwischen Arbeit und Freizeit besteht bei mir ein ständiger Konflikt. Die Zeit, die für Beruf und Überstunden draufgeht, kann ich nicht mit der Familie oder Freunden verbringen.	☐	☐

Meine Punktzahl insgesamt: _____

Auswertung:

0 – 1 Punkte: Sie haben wohl keine besonderen Zeitprobleme.
2 – 3 Punkte: Sie befinden sich im Durchschnitt der Vielbeschäftigten.
4 – 5 Punkte: Sie sind ein richtiges Arbeitstier („Workaholic") und voraussichtlich
ernsthaft gefährdet!

Beherrschen Sie Ihre Zeit

Eine bessere oder gar optimale Nutzung Ihrer wertvollen und knappen Zeit erreichen Sie nur durch ein bewusstes, kontinuierliches und konsequentes Zeitmanagement.

Zeitmanagement bedeutet, die eigene Zeit und Arbeit zu beherrschen, statt sich von ihnen beherrschen zu lassen.

Die bereits im Vorwort erwähnte Studie der Firma Lexmark vom Oktober 2001 zum Thema Zeitmanagement im Privat- und Geschäftsleben hat alarmierende Ergebnisse gebracht: Ein Viertel aller Manager arbeitet jedes Wochenende, fast die Hälfte immerhin jedes zweite. 12 Prozent der befragten Manager haben nie Zeit, um in Ruhe Mittag zu essen. Sie schlingen ein Brötchen am Schreibtisch runter oder aber essen gar nichts.
Kommt Ihnen das irgendwie bekannt vor? Sind Sie und Ihre Familie Sklaven Ihrer Termine? Dann ist es höchste Zeit, den Spieß umzudrehen.

Alle wirklich Erfolgreichen haben eines gemeinsam: Irgendwann in ihrem Leben haben sie sich einmal hingesetzt und über Verwendung und Nutzen ihres persönlichen Zeitkapitals gründlich nachgedacht.
Wenn das Leben als Ganzes erfolgreich sein soll, muss ein durchdachtes Zeit- bzw. Lebenskonzept dahinter stehen: Die Zeit, die uns zur Verfügung steht, muss für die Erreichung beruflicher und persönlicher Ziele bewusst eingesetzt werden. Nur so können die täglichen Aufgaben und Aktivitäten bewältigt sowie die persönliche Zufriedenheit und das eigene Fortkommen erreicht werden.

Nimm dir Zeit ...

1. Nimm dir Zeit, um zu arbeiten, es ist der Preis des Erfolges.
2. Nimm dir Zeit, um nachzudenken, es ist die Quelle der Kraft.
3. Nimm dir Zeit, um zu spielen, es ist das Geheimnis der Jugend.
4. Nimm dir Zeit, um zu lesen, es ist die Grundlage des Wissens.
5. Nimm dir Zeit, um freundlich zu sein, es ist das Tor zum Glücklichsein.
6. Nimm dir Zeit, um zu träumen, es ist der Weg zu den Sternen.
7. Nimm dir Zeit, um zu lieben, es ist die wahre Lebensfreude.
8. Nimm dir Zeit, um froh zu sein, es ist die Musik der Seele.
9. Nimm dir Zeit, um zu genießen, es ist die Belohnung deines Tuns.
10. Nimm dir Zeit, um zu planen, dann hast du Zeit für die übrigen neun Dinge.

Irisches Gedicht

10
11

Aktion/Übung

Zeitnutzung

1. Wie viel ist mir eine Stunde Zeit meines Lebens wert?
-
-
-

2. Mein Zeit-Kapital ist begrenzt: Gehe ich mit meiner Zeit ebenso sorgfältig um wie mit meinem Geld?
-
-
-

3. Wofür gebe ich zu viel Zeit aus und wo sollte ich mehr Zeit investieren?
-
-
-

4. Was werde ich ab heute tun, um meine Zeit besser zu nutzen?
-
-
-

5. Ich nehme mir Zeit, um
-
-
-

-
-
-

Fassen Sie die Zeitdiebe

Wenn es nicht so läuft, wie wir es erwarten oder planen, dann oft deshalb, weil zwischendurch immer wieder Störungen eintreten. An manchen sind wir selber schuld; für andere ist unsere Umgebung verantwortlich. Jede einzelne Störung kostet nur „einen Augenblick" oder „eine Sekunde", doch sie summieren sich im Lauf des Tages und bringen unser Zeitbudget ins Minus.

Die Menschen sind unterschiedlich „störanfällig". Manche bringt eine Störung völlig aus dem Konzept, andere versuchen dann alles auf einmal zu machen. Und wieder andere lassen sich nur zu gern von der Arbeit ablenken und heißen jede Unterbrechung willkommen.

Darüber hinaus hat das Emnid-Institut festgestellt, dass die elektronische Kommunikation die Papierflut am Arbeitsplatz nicht eingedämmt hat und dass auch nur die Hälfte aller Befragten weniger telefonieren, seit sie per E-Mail kommunizieren können (Quelle: „Der persönliche Organisations-Berater").

Nutzen Sie E-Mails, um Briefe oder Telefonate zu ersetzen und um Zeit zu sparen. Lassen Sie sie aber nicht zu einem weiteren Zeitdieb werden. Hier ein paar Tipps, wie Sie Ihre E-Mails effizienter bearbeiten können:

> Leeren Sie Ihren Eingangsordner. Entscheiden Sie bei jeder Nachricht sofort, was zu tun ist: reagieren, archivieren oder löschen.
> Filtern Sie eingehende E-Mails. Moderne E-Mail-Software sortiert die Nachrichten automatisch in verschiedene Ordner.
> Es gilt die Zwei-Minuten-Regel: Verwenden Sie nicht mehr als zwei Minuten, um eine Nachricht zu verarbeiten.
> Zitieren Sie beim Beantworten von E-Mails die Aussage der ursprünglichen Nachricht, auf die Sie Bezug nehmen.
> Verwenden Sie „aliases". Das sind Kürzel, mit denen Sie eine E-Mail gleich an eine ganze Gruppe von Empfängern senden können.

Freundlich, aber bestimmt Grenzen zu setzen fällt nicht immer leicht, doch Sie werden feststellen, wie befreiend es ist und wie viel zusätzliche Zeit es Ihnen einbringt.

> Tipp

Sagen Sie ruhig öfter mal „Nein", wenn ein Kollege eine kleine Gefälligkeit von Ihnen erbittet, oder wenn ein Kunde nach Feierabend anruft. Sie müssen nicht 24 Stunden am Tag für jeden verfügbar sein.

Selbst-Test: Arbeitssituation

Prüfen Sie Ihre Arbeitsweise und mögliche Störfaktoren.

Bitte kreuzen Sie die mit der jeweiligen Zahl gekennzeichneten Felder an:

0 = stimmt fast immer   2 = stimmt manchmal
1 = stimmt häufig   3 = stimmt fast nie

	0	1	2	3
1. Das Telefon stört mich laufend, und die Gespräche sind meistens unnötig lang.	☐	☐	☐	☐
2. Durch die vielen Besucher von außen oder aus dem Hause komme ich oft nicht zu meiner eigentlichen Arbeit.	☐	☐	☐	☐
3. Die Besprechungen dauern häufig viel zu lange, und ihre Ergebnisse sind für mich oft unbefriedigend.	☐	☐	☐	☐
4. Große, zeitintensive und daher oft unangenehme Aufgaben schiebe ich meistens vor mir her, oder ich habe Schwierigkeiten, sie zu Ende zu führen, da ich nie zur Ruhe komme („Aufschieberitis").	☐	☐	☐	☐
5. Oft fehlen klare Prioritäten, und ich versuche, zu viele Aufgaben auf einmal zu erledigen. Ich befasse mich zu viel mit Kleinkram und kann mich zu wenig auf die wichtigsten Aufgaben konzentrieren.	☐	☐	☐	☐
6. Meine Zeitpläne und Fristen halte ich oft nur unter Termindruck ein, da immer etwas Unvorhergesehenes dazwischenkommt oder ich mir zu viel vorgenommen habe.	☐	☐	☐	☐
7. Ich habe zu viel Papierkram auf meinem Schreibtisch; Korrespondenz und Lesen brauchen zu viel Zeit. Die Übersicht und Ordnung auf meinem Schreibtisch ist nicht gerade vorbildlich.	☐	☐	☐	☐

8. Die Kommunikation mit anderen ist häufig mangelhaft. Der verspätete Austausch von Informationen, Missverständnisse oder gar Reibereien gehören bei uns zur Tagesordnung.	0 ☐	1 ☐	2 ☐	3 ☐
9. Die Delegation von Aufgaben klappt nur selten richtig, und oft muss ich Dinge erledigen, die auch andere hätten tun können.	0 ☐	1 ☐	2 ☐	3 ☐
10. Das Neinsagen fällt mir schwer, wenn andere etwas von mir wollen und ich eigentlich meine eigenen Arbeiten erledigen müsste.	0 ☐	1 ☐	2 ☐	3 ☐
11. Eine klare Zielsetzung, sowohl beruflich wie privat, fehlt in meinem Lebenskonzept; oft vermag ich keinen Sinn in dem zu sehen, was ich den Tag über tue.	0 ☐	1 ☐	2 ☐	3 ☐
12. Manchmal fehlt mir die notwendige Selbstdisziplin, um das, was ich mir vorgenommen habe, auch durchzuführen.	0 ☐	1 ☐	2 ☐	3 ☐

Bitte zählen Sie die angekreuzten Zahlen zusammen, und tragen Sie die Gesamtpunktzahl in das dafür vorgesehene Feld ein.

Meine Punktzahl insgesamt: _____

Auswertung:

0 – 17 Punkte: Sie haben keine Zeitplanung und lassen sich von anderen treiben. Sie können weder sich noch andere richtig führen. Mit Zeitmanagement beginnt für Sie ein neues und erfolgreicheres Leben.

18 – 24 Punkte: Sie versuchen, Ihre Zeit in den Griff zu bekommen, sind aber nicht konsequent genug, um damit auch dauerhaft Erfolg zu haben.

25 – 30 Punkte: Ihr Zeitmanagement ist gut – und kann noch besser werden.

31 – 36 Punkte: Gratulation (wenn Sie ehrlich – gegenüber sich selbst – geantwortet haben!), Sie sind ein Vorbild für jeden, der den Umgang mit der Zeit lernen will. Lassen Sie andere von Ihren Erfahrungen profitieren und geben Sie „Das neue 1 x 1 des Zeitmanagement" weiter.

Die Mind-Map-Methode

Das Beziehungsnetz Ihrer verschiedenen Zeit-Anforderungen kann mit Hilfe einer "Mind-Map" oder Gehirnkarte verdeutlicht werden. Mind-Maps sind bildhaft organisierte und methodisch strukturierte Schlüsselworte. Diese ganzheitliche Methode koordiniert die vielfältigen Möglichkeiten sprachlichen und bildhaften Denkens und fördert das kreative Arbeiten mit beiden Hirnhälften.

Mit der von Tony Buzan entwickelten Methode des „Mind-Mappings" können Sie sich schnell und übersichtlich Aufzeichnungen und Notizen machen, zielgerichtet nachdenken, Ideen finden und Probleme lösen. Dadurch, dass Sie Ihre Gedanken spontan und bildlich aufs Papier bringen, vernetzen Sie Ihre rechte und Ihre linke Gehirnhälfte und nutzen Ihr gesamtes geistiges Potenzial. Die linke Gehirnhemisphäre ist für das analytische Denken, für Logik, Strukturen, Zahlen und Begriffe zuständig, während die rechte Hemisphäre unseres Gehirns der Ort für Phantasie, Intuition, Konzepte und ganzheitliches Denken ist. Im Zusammenspiel erbringen beide Gehirnhälften außergewöhnliche Denkleistungen.

Mind-Mapping ist verblüffend einfach: Das zentrale Thema wird in die Mitte eines leeren Blattes geschrieben oder gemalt. Dann werden Schlüsselworte darum herum gesammelt, die zu diesem Thema gehören, und durch Äste mit ihm verbunden. Diese Schlüsselworte können nun wiederum Ausgangspunkte für weitere Verzweigungen sein. Wichtig ist hierbei die Verwendung von unterschiedlichen Farben und dass Sie spontan und assoziativ vorgehen.

Probieren Sie das Mind-Mapping mit dem Begriff „Urlaub" aus: Schreiben Sie rund um das Wort „Urlaub" in der Mitte Ihres Blattes alles auf, was Ihnen dazu gerade in den Sinn kommt, und verbinden Sie die Schlüsselbegriffe mit dem Zentrum. Haupt- und Nebenzweige können sein: Reiseziele, Unterkunft, Vorbereitungen, Aktivitäten in den Ferien und Begleitung. Verzweigen Sie diese Begriffe jetzt weiter, beispielsweise „Vorbereitungen" zu frei nehmen, buchen, packen, einkaufen ...

So entsteht Feld für Feld ein Bild, das Ihre Wünsche und Bedürfnisse spiegelt, sowie die To-Dos und mögliche Probleme inklusive Lösungen. Eine Mind-Map ist eigentlich nie fertig. Nutzen Sie sie immer wieder für Weiterentwicklungen und die Vergewisserung Ihrer Ziele.

Das Netz persönlicher Zeit-Anforderungen und Zeit-Zwänge

Jeder Mensch ist einem Beziehungsgeflecht von Anforderungen, Rollen und Betätigungsfeldern aus verschiedenen Lebensbereichen unterworfen, die er erfüllen will beziehungsweise muss oder glaubt erfüllen zu müssen. Sie sind in Ihrem Beruf zum Beispiel Führungskraft, strategischer Vordenker, Mitarbeiter, Kollege und Projektleiter. Im Privatleben sind Sie vielleicht Ehe- oder Lebenspartner, Vater oder Mutter, Sohn oder Tochter, Freund oder Freundin, Vorstand Ihres Sportvereins, Elternbeirat, Vermieter und Nachbar.

Die wirklichen Zeitprobleme im Leben entstehen, wenn wir zu viele Rollen gleichzeitig spielen wollen. Wir spielen dann nirgends eine Charakterrolle und sind überall nur Komparse.
Es gibt natürlich Rollen, die wir auf keinen Fall ablegen können, wie die Eltern- oder Führungsrolle. Doch viele unwichtige und ungeliebte Rollen spielen wir nur mit, weil sie uns übergestülpt wurden oder weil wir meinen, es ginge nicht mehr ohne uns.

Der einzige Ausweg: Legen Sie alle Nebenrollen ab, die nicht zur Erreichung Ihrer Ziele beitragen, und konzentrieren Sie sich auf Ihre Haupt- und Lieblingsrollen. Das ist nicht einfach, aber mal ehrlich: Können Sie das Pöstchen im Sportclub nicht vielleicht doch sausen lassen? Und wäre es nicht möglich, auf den Bürgerstammtisch am Wochenende zu verzichten?

Verschaffen Sie sich Klarheit darüber, wie viele Rollen Sie in den vier zentralen Lebensbereichen Körper/Gesundheit, Leistung/Finanzen, Beziehung/Partnerschaft und Sinn/Werte ausfüllen. Reduzieren Sie Ihre Rollen auf sieben, die Sie optimal ausfüllen, und trennen Sie sich vom Rest. Fragen Sie sich: Was würde passieren, wenn ich diese Rolle nicht mehr spielen würde? Habe ich sie mir selbst ausgesucht, oder wer hat sie mir verpasst? Was sind die sieben Hauptrollen in meinem Leben?

> ## › Tipp

Die Konzentration auf das Wesentliche ist das Geheimnis entspannter und gelungener Lebensführung.

Übersicht

Mind-Map

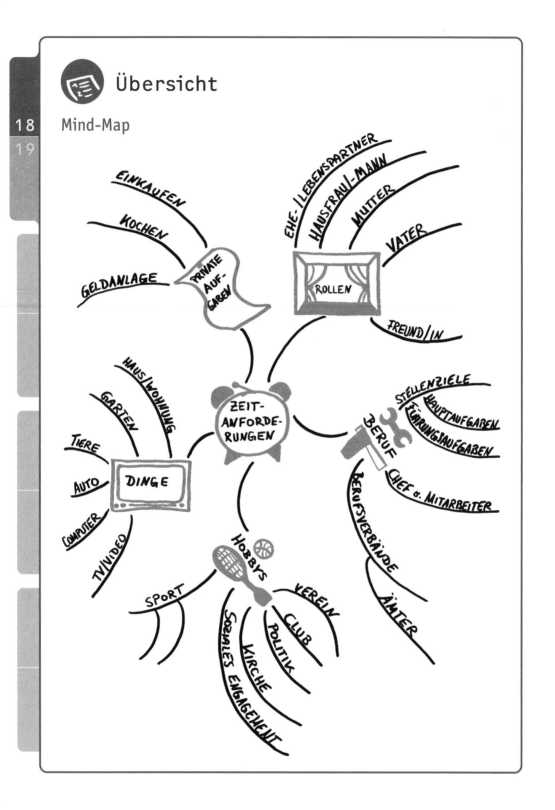

Übersicht

Persönliche Mind-Map

Skizzieren Sie im Netz Ihrer Zeit-Anforderungen das Netzwerk Ihrer persönlichen Zeit-Anforderungen, -Beziehungen und -Zwänge:

> Wo liegen die zeitlichen Schwerpunkte?
> Was möchten Sie gerne ändern?

Tragen Sie in die Mind-Map auch Ihre wichtigsten Zeitdiebe ein, und markieren Sie diese, z. B. mit einem Leuchtmarker.

Das Netz meiner Zeit-Anforderungen:

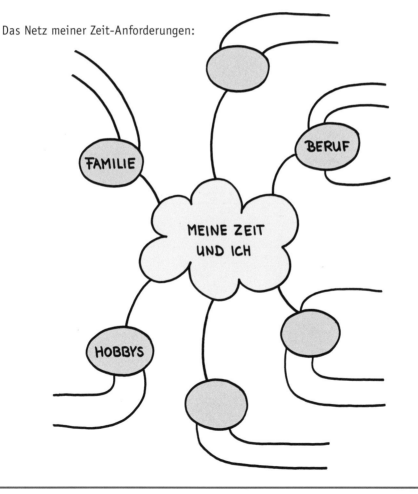

Aktion/Übung

Störfaktoren

1. Was kosten mich zwei „Stör"-Stunden?

-
-
-

2. Wer oder was stiehlt mir die Zeit?
   Welches sind meine ge-wichtigsten Zeitdiebe und Störfaktoren?

-
-
-

3. Wie reagiere ich auf Unterbrechungen und Störungen bei der Arbeit?

-
-
-

4. Was werde ich ab heute tun, um meine schlimmsten Zeitdiebe zu fassen?

Zeitdiebe	Ursachen, Gründe	Maßnahmen
1.		
2.		
3.		
4.		

2. Ziele, Planung, Prioritäten

»Nachdem wir das Ziel endgültig aus den Augen verloren hatten, verdoppelten wir unsere Anstrengungen.«

Mark Twain

Ziele, Planung, Prioritäten

Setzen Sie motivierende Ziele

Ziele sind der Maßstab, an dem jede Aktivität zu messen ist. Ziele machen Ihnen bewusst, warum Sie etwas tun und was es zu erreichen gilt. Ohne Ziele nutzt auch die beste Zeitplanung und Arbeitsmethodik nichts, denn der Endzustand jeder Handlung bleibt unklar, wenn Sie ihn nicht vorher festgelegt haben.

Nur wer seine Ziele auch definiert hat, behält in der Hektik des Tagesgeschehens den Überblick, setzt auch unter größter Arbeitsbelastung die richtigen Prioritäten und versteht es, seine Fähigkeiten optimal einzusetzen, um schnell und sicher das Gewünschte zu erreichen. Dies gilt im Beruf ebenso wie für Freizeit und Familie.

Wer bewusst Ziele hat und verfolgt, richtet auch seine unbewussten Kräfte auf sein Tun aus (Selbstmotivation und Selbstdisziplin).

Ziele dienen der Konzentration der Kräfte auf den eigentlichen Schwerpunkt. Es kommt nicht darauf an, was Sie tun, sondern wozu Sie etwas tun.

Wenn das Leben als Ganzes erfolgreich sein soll, muss ein durchdachtes Lebenskonzept dahinter stehen, das heißt klare berufliche und private Ziele, die bewusst angestrebt werden. Nur so kann ein Zusammenhang zwischen den vielfältigen Aktivitäten und Aufgaben von heute und dem Erfolg und der Zufriedenheit von morgen hergestellt werden.

Ein permanenter Zielsetzungsprozess vollzieht sich in vier Schritten:

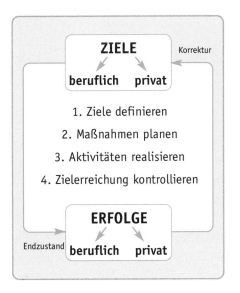

Zielfindung

Am Anfang stehen oft eine Vision oder innere Wunschbilder. Entwickeln Sie zunächst Ihr Lebenswunschbild.

Nennen Sie die fünf wichtigsten Punkte, die Sie in Ihrem Leben noch erreichen möchten.

Lebenswunschbild

So sehen meine fünf wichtigsten Lebenswünsche aus:
(Bitte so formulieren, als ob Sie diese bereits erreicht hätten!)

1. _____
   _____

2. _____
   _____

3. _____
   _____

4. _____
   _____

5. _____
   _____

Erfolgreiche Persönlichkeiten haben konkrete Zielvorstellungen. Überlegen Sie jetzt, wie Sie Ihre Lebensziele zeitlich sinnvoll staffeln können. Jedes Ziel, das Sie sich beruflich und privat setzen wollen, hat nur dann einen Sinn, wenn Sie sich einen zeitlichen Rahmen dafür stecken.

Definieren Sie Ihre persönlichen Ziele

Verschaffen Sie sich Zielklarheit und notieren Sie alle beruflichen und privaten Ziele, die Sie in naher und ferner Zukunft erreichen wollen auf den vorgesehenen Übersichten (Seite 26–27).

Planen Sie bereits die Zielrichtung, indem Sie Maßnahmen und erste Aktionsschritte notieren.

Die Ziel-Mittel-Analyse

Welche persönlichen Mittel und Ressourcen stehen Ihnen zur Zielerreichung zur Verfügung? Finden Sie heraus, wo Ihre Stärken und wo Ihre Engpässe sind. Hilfreich dabei ist, wenn Sie sich an Ihre größten Erfolge bzw. positivsten Erlebnisse und an jene Situationen in Ihrem Leben erinnern, die Sie zunächst als Misserfolge oder Niederlagen empfanden.

Die Vorgehensplanung nach Descartes

Das Geheimnis erfolgreicher Ziel- und Zeitplanung liegt in der „Salami-Taktik": Alle größeren Ziele und Vorhaben werden in kleine Scheibchen bzw. Aktivitäten zergliedert. Schon der berühmte Philosoph, Mathematiker und Naturwissenschaftler René Descartes (1596 bis 1650) formulierte 1637 eine Arbeitsmethode, deren Grundprinzipien für die Zielplanung bis heute gültig sind.

> ### › Rationelles Arbeiten nach Descartes
>
> - Formuliere das Problem (Ziel, Projekt) schriftlich.
> - Zerlege die Gesamtaufgabe in einzelne, kleine Teile.
> - Ordne die Teilaufgaben nach Prioritäten und Terminen.
> - Erledige alle Aktivitäten und kontrolliere das Ergebnis.

Ein konkretes Beispiel veranschaulicht das Arbeiten nach Descartes:

1. Ihr Ziel ist es, in Zukunft regelmäßig Sport zu treiben. Formulieren Sie dieses Vorhaben so genau wie möglich, also welche Art von Sport Ihnen Spaß macht und was Sie damit erreichen wollen (Abnehmen, Rückentraining, sich an der frischen Luft bewegen).

2. Im zweiten Schritt überlegen Sie, was im Einzelnen dafür zu tun ist: Fitness-Studios anschauen, einem Sportverein beitreten oder einen persönlichen Coach engagieren, passendes Outfit besorgen und feste Trainingszeiten reservieren.

3. In Schritt drei ordnen Sie diese Teilaufgaben nach Prioritäten – das heißt, zuerst die Sportart wählen, dann das Studio oder den Verein und anschließend die Sportschuhe – und setzen sich feste Termine, bis wann diese Teilaufgaben erledigt sein sollen.

4. Trainingsplan, Waage und Pulsmesser zeigen schließlich im vierten Schritt das positive Ergebnis nach den ersten Wochen.

Übersicht

Meine beruflichen Ziele

Welche beruflichen Ziele (Karriere-, Berufs-, Stellenziele, die nächsten Jahresziele) wollen Sie erreichen?

langfristig (Karriereziele)	Maßnahmen zur Zielerreichung	Wann erledigt?
•		
•		
•		
•		

mittelfristig (5 Jahre)	Maßnahmen zur Zielerreichung	Wann erledigt?
•		
•		
•		
•		

kurzfristig (1 Jahr)	Maßnahmen zur Zielerreichung	Wann erledigt?
•		
•		
•		
•		

Übersicht

Meine privaten Ziele

Welche privaten Ziele (Wunschziele für Gesundheit, Partnerschaft, Familie, Freunde, Sinn etc.) wollen Sie erreichen?

langfristig (Lebensziele)	Maßnahmen zur Zielerreichung	Wann erledigt?
•		
•		
•		
•		

mittelfristig (5 Jahre)	Maßnahmen zur Zielerreichung	Wann erledigt?
•		
•		
•		
•		

kurzfristig (1 Jahr)	Maßnahmen zur Zielerreichung	Wann erledigt?
•		
•		
•		
•		

✎ Aktion/Übung

Zielsetzung

1. Welches sind meine wichtigsten Stärken, die mich bei der Erreichung meiner Ziele unterstützen (persönliche und kommunikative Fähigkeiten, Denkvermögen, Fachkenntnisse, Führungsfähigkeiten, Kontakte, Arbeitstechniken etc.?)

- _____
- _____
- _____
- _____
- _____
- _____
- _____

2. Welches sind meine größten Engpässe, die mich am meisten an der Zielerreichung hindern?

- _____
- _____
- _____
- _____
- _____
- _____
- _____

3. Warum ist Zielsetzung eine unabdingbare Voraussetzung und der Schlüssel für ein erfolgreiches Zeitmanagement?

- _____
- _____
- _____
- _____
- _____
- _____
- _____

Das Pareto-Prinzip

Manche Menschen verbringen ihre meiste Zeit damit, sich um viele, relativ nebensächliche Probleme und Aufgaben zu kümmern, statt sich auf wenige, aber lebenswichtige Aktivitäten zu konzentrieren. Wir glauben, dass zwischen Aufwand und Ergebnis ein proportionales Verhältnis besteht. Ein folgenschwerer Irrtum, denn oft erbringen bereits 20% der strategisch richtig eingesetzten Zeit und Energie 80% des Ergebnisses!

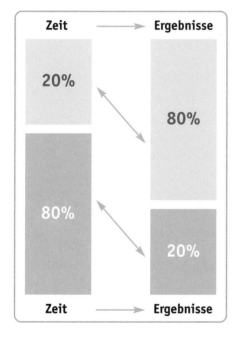

> 20% der Kunden oder Waren bringen 80% des Umsatzes.
> 20% der Produktionsfelder verursachen 80% des Ausschusses.

> 20% der Zeitung enthalten 80% der Nachrichten.
> 20% der Besprechungszeit bewirkt 80% der Beschlüsse.
> 20% der Schreibtischarbeit ermöglicht 80% des Arbeitserfolges.
> 20% der Beziehungen bescheren 80% des persönlichen Glücks.

Das Wissen um diese Zusammenhänge, bekannt als Pareto-Prinzip, kann Ihnen bei der Definition von Zielen sowie dem Planen von Maßnahmen und Aktivitäten helfen.

Erfolgreiche Menschen disziplinieren sich dazu, immer mit der wichtigsten und meistens auch schwierigsten Aufgabe anzufangen, die vor ihnen liegt. Dadurch erreichen sie viel mehr als andere und ziehen mehr Befriedigung aus dem, was sie tun.

Finden Sie die 20:80%-Erfolgsverursacher in Ihrem beruflichen und privaten Bereich heraus, und versehen Sie diese mit der höchsten Priorität. Erstellen Sie dazu eine Liste mit allen Schlüsselzielen, -aktivitäten und -verantwortlichkeiten in Ihrem Leben. Welche von ihnen gehören zu den obersten 20% der Aufgaben, aus denen 80% Ihrer Ergebnisse und Erfolge resultieren (können)?

Zielformulierung und Aktivitätenplanung

Zum Schluss formulieren Sie Ihre Ziele konkret, das heißt messbar, und planen Sie die Zielerreichung.

Beginnen Sie bei der Definition Ihres übergeordneten Lebensziels. Aus dieser Vision leiten sich dann alle Teilziele ab, die Sie Tag für Tag und Monat für Monat verfolgen. Hier ein paar Tipps, wie Sie dabei vorgehen können:

Konzentrieren Sie sich zunächst auf einen überschaubaren Zeitraum: Wo wollen Sie in fünf Jahren sein? Was wollen Sie bis dahin erreicht haben? Eine Vorstellung davon, was sich in diesem Zeitraum alles verändern lässt, bekommen Sie, wenn Sie überlegen, was sich in den letzten fünf Jahren ereignet hat.
Malen Sie sich Ihre Zukunft in den buntesten Farben aus. Wenn Ihre Vision konkret ist, fixieren Sie sie schriftlich. So verankern Sie sie und machen Ihr Unterbewusstsein zu Ihrem Teamplayer. Formulieren Sie Ihre Vision als Ist-Zustand ohne „Wenn" und „Aber". Erst wenn Sie fest von Ihrem Leitbild überzeugt sind, werden Sie auch über die Energien verfügen, Ihr Handeln auf Ihre Ziele zu konzentrieren.

Beziehen Sie im Sinne des Work-Life-Balance-Prinzips alle vier wichtigen Lebensbereiche in Ihre Planung ein: Körper/Gesundheit, Sinn/Kultur, Familie/Soziales und Leistung/Arbeit.
In einem erfüllten Leben besteht ein Gleichgewicht zwischen diesen vier Bereichen. Wird ein Bereich vernachlässigt, leiden auch die anderen und umgekehrt: Fühlen Sie sich in Ihrem Körper wohl, weil Sie regelmäßig Sport treiben und sich gesund ernähren, werden Sie auch die Kraft und Energie aufbringen, ein berufliches Ziel erfolgreich anzugehen, oder die Ruhe und Gelassenheit besitzen, an einer problematischen Beziehung zu arbeiten.

Legen Sie für die Erreichung Ihrer Ziele realistische Termine fest, und übersetzen Sie Ihre großen Visionen in Teilziele und greifbare Handlungsschritte nach der Descartes-Methode. Aber nehmen Sie sich nicht zu viel auf einmal vor. Überfordern Sie sich nicht, und vergessen Sie über den langfristigen Ihre kurzfristigen Ziele nicht.

Zielplanung

Planen Sie jetzt die Erreichung eines motivierenden Ziels, das Sie sich für die nächste Zeit vorgenommen haben, konkret in einzelnen Aktionsschritten mit Erledigungsterminen durch, zum Beispiel Ihr nächstes Jahresziel. Bedienen Sie sich dazu der erfolgreichen Methode des Mind-Mappings.

⬚ Übersicht

Persönliche Zielplanung

Aktion/Übung

Pareto-Prinzip

1. Bei welchen meiner Aufgaben erreiche ich in 80 Prozent der Zeit nur 20 Prozent der Ergebnisse?

2. Bei welchen meiner Aufgaben erreiche ich dagegen schon in 20 Prozent der Zeit 80 Prozent der Ergebnisse?

3. Welches sind also meine strategischen Erfolgsverursacher?

4. Was werde ich ab heute tun, um meine Tagesarbeit stärker an meinen Zielen und meinen strategischen Erfolgsfaktoren auszurichten?

Planen Sie schriftlich

Je besser wir unsere Zeit einteilen (= planen), desto besser können wir sie für unsere persönlichen und beruflichen Zielvorstellungen nutzen. Planung bedeutet Vorbereitung zur Verwirklichung von Zielen. Der größte Vorteil, wenn Sie Ihre Arbeit planen:

vorher   nachher

gesamter Zeitaufwand

■ Zeit für Planung

■ Zeit für die Durchführung (inkl. Zeitinvestition für die Behebung von Pannen)

□ Zeitgewinn

Planung bedeutet Zeit-Gewinn

Die allgemeine Erfahrung in der betrieblichen Praxis zeigt, dass man mit einem Mehraufwand an Planungszeit weniger Zeit für die Durchführung benötigt und insgesamt Zeit einspart:
Wer seinen Arbeitstag acht Minuten lang vorbereitet und konsequent in Angriff nimmt, kann täglich eine Stunde Zeit für das Wesentliche gewinnen.

✔ Checkliste

Welche Vorteile bringt Ihnen die Planung Ihrer Zeit?

☐ Bessere und schnellere Erreichung meiner beruflichen und persönlichen Ziele

☐ Zeitersparnis und Zeitgewinn für die wirklich wichtigen Aufgaben und Ziele (Führungsaufgaben, Mitarbeiter, Kreativität, Familie, Freizeit)

☐ Überblick über alle Projekte, Aufgaben und Tätigkeiten

☐ Erfolgserlebnisse durch Etappensiege und das „Abhaken" des Erledigten

☐ Weniger Hektik und Stress, dafür mehr Vorhersehbares im Tagesablauf

☐ Souveränität und mehr Selbstdisziplin

☐ Die Balance aller wichtigen Lebensbereiche

Das wichtigste Planungsprinzip ist die Schriftlichkeit:

> Über Zeitpläne, die man nur „im Kopf" hat, verliert man den Überblick („Aus den Augen – aus dem Sinn") und sie werden leichter umgeworfen.

> Schriftliche Zeitpläne bedeuten Arbeitsentlastung des Gedächtnisses.

> Ein schriftlich fixierter Plan hat den psychologischen Effekt einer Selbstmotivation zur Arbeit. Ihre Aktivitäten bei der Bewältigung des Tagesgeschäftes werden zielorientierter und auf die straffe Befolgung des Tagespensums ausgerichtet.

> Dadurch lassen Sie sich weniger ablenken (Konzentration) und werden angehalten, die vorgenommenen Aufgaben eher zu erledigen als ohne feste Leitlinie in Form eines Tagesplanes.

> Durch die Kontrolle des Tagesereignisses geht Ihnen das Unerledigte nicht verloren (Übertrag auf einen anderen Tag).

> Sie können darüber hinaus Ihren Erfolg steigern, indem Sie durch Tagespläne Ihren Zeitbedarf und die Störzeiten besser einschätzen. So können Sie z. B. realistischere Pufferzeiten für Unvorhergesehenes einplanen.

> Schriftliche Zeitpläne, in einem separaten Ordner gesammelt, stellen automatisch eine Dokumentation über Ihre geleistete Arbeit dar und können Ihnen in bestimmten Fällen als Nachweis und Protokoll für Ihre Aktivitäten oder Ihr Nicht-Aktiv-Werden (-Können) dienen.

Was hindert Sie – außer der eigenen Bequemlichkeit – nun also daran, die Dinge, die Sie tun und erledigen wollen, auch entsprechend aufzuschreiben? Oder haben Sie hierfür – angeblich – keine Zeit?
Dann lesen Sie bitte die folgende Geschichte:

Ein Spaziergänger geht durch einen Wald und begegnet einem Waldarbeiter, der hastig und mühselig damit beschäftigt ist, einen bereits gefällten Baumstamm in kleinere Teile zu zersägen. Der Spaziergänger tritt näher heran, um zu sehen, warum der Holzfäller sich so abmüht, und sagt dann: „Entschuldigen Sie, aber mir ist da etwas aufgefallen: Ihre Säge ist total stumpf! Wollen Sie sie nicht einmal schärfen?" Darauf stöhnt der Waldarbeiter erschöpft auf: „Dafür habe ich keine Zeit – ich muss sägen!"

Aktion/Übung

1. Was hindert mich daran, die Dinge, die ich tun und erledigen will, auch entsprechend aufzuschreiben?

   * _____
   * _____
   * _____
   * _____

2. Wie viel Zeit will ich für meine tägliche Zeitplanung reservieren?

   * _____

3. Was werde ich ab heute tun, um das Planungsprinzip der Schriftlichkeit konsequent anzuwenden?

   * _____

   * _____

   * _____

4. Folgende Aktivitäten werde ich ab sofort schriftlich planen:

Kurzfristige Aktivitäten	Mittelfristige Aktivitäten	Langfristige Aktivitäten
• _____	• _____	• _____
• _____	• _____	• _____
• _____	• _____	• _____
• _____	• _____	• _____
• _____	• _____	• _____

Zur schriftlichen Planung können Sie Mehrjahrespläne, Jahrespläne, Monats-, Wochen- und Tagespläne verwenden.

Verwenden Sie Tagespläne

Wenn man beginnt, mit Zeitplänen zu arbeiten, empfiehlt sich als erster und wichtigster Schritt zum Einstieg die Planung jedes einzelnen Tages:

> Der Tag ist die kleinste und über-schaubarste Einheit einer systema-tischen Zeitplanung.
> Man kann jeden Tag neu beginnen, wenn ein Tag nicht erfolgreich ge-laufen ist.
> Wer seine Tagesabläufe nicht durch Planung im Griff hat, wird auch längere Perioden wie Monats- oder Jahrespläne nicht einhalten können.

Ein realistischer Tagesplan sollte grund-sätzlich nur das enthalten, was Sie an diesem Tag erledigen wollen bezie-hungsweise müssen und auch können! Denn je mehr Sie die gesetzten Ziele für erreichbar halten, um so mehr konzen-trieren Sie auch Ihre Kräfte darauf und mobilisieren sich, die Tagesziele zu erreichen.

Die A-L-P-E-N-Methode

Die folgende A-L-P-E-N-Methode ist relativ einfach und erfordert nur durch-schnittlich acht Minuten tägliche Planungszeit, um mehr Zeit für das Wesentliche zu gewinnen:

Aufgaben, Aktivitäten und Termine aufschreiben

Verwenden Sie ein Formular für Ihre Tagesplanung (vgl. Abbildung S. 38 und Blanko-Muster S. 39). Notieren Sie auf diesem Formular in den entsprechenden Rubriken, was Sie am betreffenden Tag alles erledigen wollen oder müssen:

> Notwendige Arbeiten aus Ihrem Auf-gabenkatalog für diese Woche oder diesen Monat (vgl. „Aktivitäten-Checkliste" S. 41)
> Unerledigtes vom Vortag
> Neu hinzukommende Tagesarbeiten
> Termine, die wahrzunehmen sind
> Telefonate und Korrespondenzen, die zu erledigen sind
> Periodisch wiederkehrende Aufgaben (zum Beispiel 14 bis 15 Uhr Abtei-lungs-Meeting)

Länge (Dauer) der Aktivitäten schätzen

Notieren Sie hinter jeder Aktivität den Zeitbedarf, den Sie ungefähr veranschla-gen müssen.
Die Erfahrung zeigt, dass häufig die geplante Gesamtzeit überschätzt und mehr vorgesehen wird, als tatsächlich erreicht werden kann. Dies führt nur zu unnötiger Frustration.

> Schätzen Sie daher – grob – den Zeit-aufwand, den Ihre geplanten Aktivi-täten in Anspruch nehmen. Bei Ihren

Geldausgaben überschlagen Sie ja auch, wie viel ein Produkt in etwa kosten soll, wenn Sie nicht sogar auf den Pfennig genau kalkulieren! Warum nicht auch bei Ihrem Zeit-Kapital?

> Eine andere Erfahrungsregel besagt, dass für eine Arbeit oft so viel Zeit benötigt wird, wie Zeit zur Verfügung steht. Bei einer konkreten Vorgabezeit für Ihre Aufgaben zwingen Sie sich wie bei Ihrem Geldbudget dazu, das Limit auch einzuhalten.

> Sie arbeiten erheblich konzentrierter und unterbinden Störungen viel konsequenter, wenn Sie sich für eine bestimmte Aufgabe auch eine bestimmte Zeit vorgegeben haben.

Pufferzeit reservieren

„Erstens kommt es anders, zweitens als man denkt." Verplanen Sie nur einen bestimmten Teil Ihrer Arbeitszeit, erfahrungsgemäß ca. 60% (Grundregel der Zeitplanung). Unvorhergesehene Ereignisse, Störgrößen, Zeitdiebe und persönliche Bedürfnisse erfordern es, sich nicht restlos zuzuplanen.

Nach dem Prinzip der Vorsicht erscheint es sogar angebracht, nur 50% der Arbeitszeit zu verplanen und die anderen 50% als Pufferzeit zu reservieren.

Entscheidungen treffen: Prioritäten, Kürzungen und Delegationsmöglichkeiten

Da man im Hinblick auf die Grundregel der Zeitplanung dazu neigt, mehr als 50 bis 60% der verfügbaren Arbeitszeit zu verplanen, müssen Sie Ihren Aufgabenkatalog rigoros auf ein realistisches Maß zusammenstreichen, indem Sie

> Prioritäten setzen
> Kürzungen vornehmen und
> delegieren.

Der Rest muss verschoben, gestrichen oder in Überstunden erledigt werden.

Nachkontrolle – Unerledigtes übertragen

Wenn Sie eine Aktivität mehrfach übertragen haben, wird sie Ihnen lästig, und es gibt zwei Möglichkeiten:

> Sie werden diese Aufgabe endlich anpacken – womit sie erledigt ist.
> Sie werden sie streichen, weil die Sache sich von selbst erledigt hat.

> ## Tipp

Ihre Zeiteinteilung sollte aus drei Blöcken bestehen:

- ca. 60% für geplante Aktivitäten (Tagesplan),
- ca. 20% für unerwartete Aktivitäten (Störungen, Zeitdiebe),
- ca. 20% für spontane und soziale Aktivitäten (kreative Zeiten).

Übersicht

Der Tagesplan

Zeit	Termine	OK ✓	✉	☎	Kontakte	OK ✓
	Yoga	✓		x	Dr. Galle 494 - 169	✓
08	Stille Stunde	✓	x		Mappei-Angebot	
				x	Apple 089/9 90 64 01	✓
09				x	Gabal e. V. 92918	✓
			x		Struktogramm	
10				x	Conradi 25 22 30	
				x	Meier 0 61 31/36 93 63	
11						
12	Mittagessen					
	mit Dr. Wagner	✓				
13						

Zeit	Termine	Priorit.	Zeitbed.	Aufgaben	
14	Vorbereitung				
	Meeting ●	A	1,5	Y.K. Preise kalkulieren	v
15	Meeting R & G				
	Buch Layout	B	1,0	Werbe-Budget planen	v
16	(Hier)	B	0,5	Vorbereitung Meeting	
				R & G	
17		C		Flug Wien buchen	
	Tagesplan für 15.12.	C		Akte Conradi?	
18		C	1,0	Name Bank-Handbuch	
19	Tennis				
	„T.-C. Rot-Weiss"	DEL	KK	Reklamation TIS	
20		DEL	KK	Pressemappe S. Impulse	
21				Statistik	
				Kaufinteressenten III	
22				Privat	
				Blumen f. Evelyn	
				Tagesziel	
				Ich denke und handle positiv	

Erstellen Sie nun nach diesem Muster Ihren Tagesplan für den nächsten Tag.

▨▨▨ Termine mit sich selbst (Stille Stunde); ▬▬ Termine mit anderen.

Übersicht

Mein Tagesplan

Zeit	Termine	OK ✓	✉	☎	Kontakte	OK ✓
08						
09						
10						
11						
12						
13						
14				Priorit. Zeitbed.	Aufgaben	
15						
16						
17						
18						
19						
20						
21					Statistik	
22					Privat	
					Tagesziel	

✎ Aktion/Übung

Tagespläne

1. Wie viel meiner aktiven Zeit kann und will ich jeden Tag für eigene Aufgaben
   verplanen?

   -
   -
   -
   -
   -

2. Was ist der günstigste Zeitpunkt und Ort, meinen Plan für den nächsten Tag zu
   erstellen?

   -
   -
   -
   -
   -

3. Welche Arten von (beruflichen und privaten) Aufgaben gehören in meinen
   Tagesplan?

   -
   -
   -
   -
   -

4. Was werde ich ab heute tun, um regelmäßig Tagespläne zu erstellen?

   -
   -
   -
   -
   -

Setzen Sie Prioritäten

Am Ende eines harten Arbeitstages steht meist die Erkenntnis, dass man zwar viel gearbeitet hat, wichtige Dinge aber oft liegen geblieben oder nicht fertig gestellt worden sind.

Erfolgreiche Menschen zeichnen sich unter anderem dadurch aus, dass sie sowohl vieles als auch ganz Verschiedenes erledigen, indem sie sich während einer bestimmten Zeit jeweils nur einer einzigen Aufgabe widmen. Dies jedoch konsequent und zielbewusst. Voraussetzung dafür ist, eindeutige Prioritäten festzulegen und sich daran zu halten.

Prioritätensetzung heißt, darüber zu entscheiden, welche Aufgaben erstrangig, zweitrangig und welche nachrangig zu behandeln sind. Aufgaben mit höchster Priorität müssen zuerst erledigt werden. Durch Aufstellung einer Rangfolge Ihrer Aufgaben stellen Sie sicher, dass Sie

> zunächst nur an wichtigen oder notwendigen Aufgaben arbeiten,
> die Aufgaben auch nach ihrer Dringlichkeit bearbeiten,
> sich jeweils nur auf eine Aufgabe konzentrieren,
> die Aufgaben in der festgelegten Zeit effizienter erledigen,
> die gesetzten Ziele unter den gegebenen Umständen noch am besten erreichen,

> alle Aufgaben ausschalten und delegieren, die von anderen durchgeführt werden können,
> am Ende der Planungsperiode (etwa eines Arbeitstages) zumindest die wichtigsten Dinge (Effektivität!) erledigt haben,
> die Aufgaben, an denen Sie und Ihre persönliche Leistung gemessen werden, nicht unerledigt liegen lassen.

✔ Checkliste

Die positiven Auswirkungen: Was wollen Sie erreichen?

☐ Termine einhalten

☐ Arbeitsablauf und Arbeitsergebnisse verbessern

☐ zufriedenere Mitarbeiter, Kollegen und Familien

☐ Konflikte vermeiden

☐ Selbst zufriedener werden und unnötigen Stress vermeiden

Die ABC-Analyse

Eine Wertanalyse der Zeitverwendung zeigt, dass die Anteile von sehr wichtigen (A), wichtigen (B) und weniger wichtigen (C) Aufgaben an der tatsächlichen Zeitverwendung nicht unbedingt ihrem Anteil am Wert aller Aufgaben für die Erfüllung einer bestimmten Funktion (z. B. Personalleiter) entsprechen:

Übersicht

Wertanalyse der Zeitverwendung (ABC-Analyse)

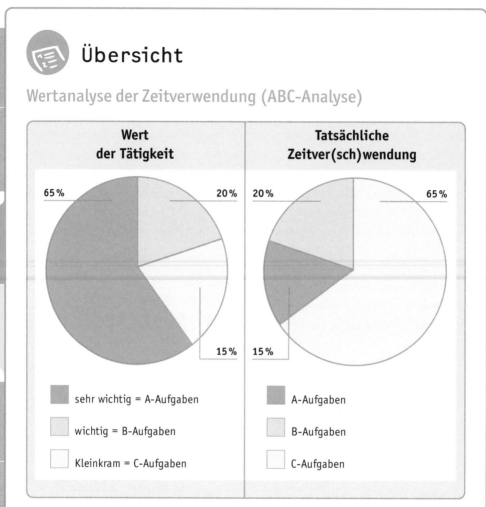

Wert der Tätigkeit	Tatsächliche Zeitver(sch)wendung
65 % · 20 % · 15 %	20 % · 65 % · 15 %

sehr wichtig = A-Aufgaben / A-Aufgaben

wichtig = B-Aufgaben / B-Aufgaben

Kleinkram = C-Aufgaben / C-Aufgaben

Oft wird die meiste Zeit mit vielen, nebensächlichen Problemen (C) vertan, während wenige, lebenswichtige Aufgaben (A) in der Regel zu kurz kommen. Der Schlüssel für ein erfolgreiches Zeitmanagement liegt darin, den geplanten Aktivitäten eine eindeutige Priorität zu verleihen, indem wir sie durch eine A-B-C-Klassifikation in eine Rangordnung bringen:

> A-Aufgaben sind die wichtigsten Aufgaben. Sie können von der betreffenden Person nur allein oder im Team verantwortlich durchgeführt werden, sind nicht delegierbar und für die Erfüllung der ausgeübten Funktion von größtem Wert.
> B-Aufgaben sind durchschnittlich wichtige Aufgaben und auch (teilweise) delegierbar.
> C-Aufgaben sind die Aufgaben mit dem geringsten Wert für die Erfüllung einer Funktion, haben jedoch den größten Anteil an der Menge der Arbeit (Routinearbeit, Papierkram, Lesen, Telefonieren, Ablage, Korrespondenz und andere Verwaltungsarbeiten).
> Aufgaben, die weder wichtig noch dringend sind, sollten überhaupt nicht bearbeitet werden, sondern in den Papierkorb wandern.

Selbstverständlich bedeutet die ABC-Analyse nicht, nur noch A-Aufgaben zu erledigen und auf C-Aufgaben gänzlich zu verzichten, sondern alle diese Aktivitäten durch Prioritätensetzung in eine ausgewogene Relation, richtige Rangordnung und Reihenfolge für die Tageserledigung zu bringen.

> ## > Tipp
>
> Die ABC-Analyse funktioniert in der Praxis am einfachsten, indem Sie
> - nur ein bis zwei A-Aufgaben pro Tag (ca. 3 Std. gesamt) einplanen,
> - weitere zwei bis drei B-Aufgaben (ca. 1 Std. gesamt) vorsehen,
> - den Rest für C-Aufgaben (ca. $3/4$ Std.) reservieren.

So steuern Sie aktiv Ihren Arbeitsablauf, konzentrieren sich jeweils auf die wesentlichen Dinge und erreichen damit innere Harmonie und Gelassenheit. Viele Menschen ziehen es jedoch vor,

> Dinge nur richtig zu tun (Tätigkeitsorientierung = Effizienz),
> statt die richtigen Dinge zu tun (Zielorientierung = Effektivität).

Wenn Sie auf diese Weise Ihre Tagesziele erreicht haben und trotz Störungen und unvorhergesehener Dinge noch Zeitreserven haben, können Sie dann neu entscheiden, wie und wofür Sie diese Zeit verwenden wollen.

Aktion/Übung

ABC-Analyse

1. Wie lassen sich die Tätigkeiten in meiner jetzigen Funktion nach der
   ABC-Analyse einteilen?
   Meine A-Aufgaben:

   * _____
   * _____
   * _____

   Meine B-Aufgaben:

   * _____
   * _____
   * _____

   Meine C-Aufgaben:

   * _____
   * _____
   * _____

2. Was werde ich ab heute tun, um jeden Tag mindestens an einer A-Aufgabe zu
   arbeiten?

   * _____
   * _____
   * _____

3. Was werde ich mit der gewonnenen Zeit tun, die ich durch konsequente Prioritätensetzung und -erledigung gewinne?

   * _____
   * _____
   * _____

3. Tun Sie sich etwas Gutes!

»Die Zeit ist wie eine verspielte Katze. Sie umschmeichelt einen und schlabbert den Tag auf wie eine Schale Milch.«

Henry Ford

Tun Sie sich etwas Gutes!

Beginnen und schließen Sie positiv

Es ist fast immer das gleiche Problem: Unausgeschlafen, mit Eile und Hast, ohne ein vernünftiges Frühstück in die Firma gerast – mit einem solchen Start kann der Tag sehr leicht misslingen! Damit Sie bei all Ihren wichtigen und dringenden Aufgaben nicht die Freude am Tag verlieren, sollten Sie sich immer wieder auf die positiven Seiten des Lebens konzentrieren und tägliche Glücksgewohnheiten etablieren.

Positives Denken und Handeln

Wie können Sie eine schlechte Startphase in eine positive Situation transformieren?

Unausgeschlafen	→	_____
Ohne Frühstück	→	_____
Hast	→	_____
Eile	→	_____
Raserei	→	_____
Stress	→	_____
Misserfolg	→	_____

Gönnen Sie sich Zeit am Morgen:

> für ein gemütliches Aufwachen (evtl. Entspannung, Meditation)
> für eine Bewegungsaktivität (Jogging, Gymnastik)
> für eine wohltuende persönliche Hygiene und Pflege
> für ein schönes Frühstück mit der Familie
> für eine gelassene Fahrt zur Arbeit ohne Hast

Versuchen Sie, jedem Tag etwas Positives abzugewinnen, denn Ihre Grundeinstellung zu Ihrer Umwelt, also auch die Einstellung, wie Sie an die anstehenden Aufgaben herangehen, hat einen maßgeblichen Anteil an Ihrem Erfolg oder Misserfolg. Alle Lebenshilfeschulen und Autoren von Erfolgsratgebern sind einhellig der Auffassung, dass Erfolg sehr stark von der persönlichen Einstellung, den eigenen Gedanken, Gefühlen und Gemütszuständen abhängt und durch positives Denken und Handeln entsprechend beeinflusst werden kann.

Bevor Sie sich also auf Ihre Arbeit stürzen, sollten Sie sich in aller Ruhe auf den Tag einstellen, indem Sie

> Ihren Tagesplan (am Abend des Vortages erstellt) anhand der fixierten Aufgaben und Tagesziele nach Wichtigkeit und Dringlichkeit noch einmal durchgehen,

> für die Schwerpunkt-Aufgaben des Tages (A-Aufgaben) die nötige Arbeitsvorbereitung treffen und Unterlagen bereitlegen.

Bevor Sie von Ihrem Arbeitsplatz nach Hause hasten, sollten Sie in aller Ruhe den Tag beschließen und sich innerlich auf die Heimfahrt, den Abend und die Freizeit einstellen, indem Sie

> einen Soll-Ist-Vergleich des Tagesplanes im Hinblick auf die Zielerreichung durchführen,
> prüfen, welche Aufgaben nicht erledigt werden konnten und auf den nächsten Tag übertragen werden müssen.
  Tipp: Versuchen Sie, alle kleineren Arbeiten (zum Beispiel Durchsehen von Post und Briefen), die im Laufe des Tages liegen geblieben sind, noch am gleichen Tag zu beenden. Jeder Aufschub führt zu einem zusätzlichen Arbeitsaufwand, wenn Sie Unerledigtes am nächsten Tag aufarbeiten müssen.
> Den Tagesplan für den nächsten Tag aufstellen. So ersparen Sie sich am Abend und vor dem Schlafengehen unruhige Gedanken darüber, was wohl morgen noch alles auf Sie zukommen wird.

Machen Sie sich im Sinne einer positiven Lebensführung bewusst, welche Qualitäten und welchen Wert der Tag für Ihr Leben hatte. Was haben Sie heute erreicht? Inwiefern sind Sie Ihren Zielen näher gekommen? Schließen Sie mit einer positiven Stimmung ab.

Überlegen Sie sich, wie Sie den Abend verbringen möchten. Viele kommen abends von der Arbeit nach Hause, ohne einen Gedanken daran verwendet zu haben, wie sie Freude bereiten und eine Grundlage für einen angenehmen Feierabend schaffen können (Partner, Familie, Kinder, Theater, Konzert, gutes Buch, Freunde, Ausgehen, Sport, Meditation etc.).

> ## Tipp

Um eine positive Einstellung zum neuen Tag zu erhalten, beachten Sie diese drei Regeln:

- Jeden Tag etwas tun,
  das Ihnen sehr viel Freude bereitet.
- Jeden Tag etwas tun,
  das Sie spürbar Ihren persönlichen Zielen näher bringt.
- Jeden Tag etwas tun,
  das Ihnen einen Ausgleich zur Arbeit schafft (Sport, Familie, Hobby etc.)

Aktion/Übung

Positive Einstellung

1. Was werde ich ab heute tun, um den Tag mit einer positiven Einstellung zu beginnen?

- _____
- _____
- _____

2. Was werde ich ab heute tun, um mir mit kleinen Highlights den Arbeitstag zu versüßen?

- _____
- _____
- _____

3. Was werde ich ab heute tun, um dem Abend einen angenehmen Höhepunkt zu geben?

- _____
- _____
- _____

4. Was werde ich ab heute tun, um den Tag positiv zu beenden?

- _____
- _____
- _____

Beachten Sie die Leistungskurve

Die statistische, durchschnittliche tägliche Leistungsbereitschaft und ihre Schwankungsbreite lassen sich durch die unten dargestellte Grafik beschreiben.

Hier gibt es zwar eine Reihe individueller Unterschiede, die durch Ernährungsgewohnheiten und andere persönliche Merkmale beeinflusst werden. Grundsätzlich jedoch kann man feststellen:

> Der Leistungshöhepunkt liegt am Vormittag. Dieses Niveau wird während des gesamten Tages nicht mehr erreicht.

> Am Nachmittag schließt sich dann das allgemein bekannte Nach-Mittagstief an, das von manchem durch starken Kaffeegenuss bekämpft, jedoch dadurch verlängert wird.

> Nach einem erneuten Zwischenhoch am frühen Abend fällt die Leistungskurve kontinuierlich ab, um einige Stunden nach Mitternacht ihren absoluten Tiefpunkt zu erreichen.

Jeder von uns muss mit diesen Schwankungen seiner Leistungsfähigkeit leben. Wichtig ist, dass Sie Ihren Tagesrhythmus finden, damit Sie die Erledigung der komplizierten und wichtigen Dinge (A-Aufgaben) während Ihres Leistungshochs am Vormittag einplanen können. Im Leistungstief sollten Sie nicht gegen Ihren biologischen Rhythmus arbeiten, sondern versuchen zu entspannen und diese Phase für soziale Kontakte und Routinetätigkeiten (C-Aufgaben) nutzen. Nach dem Anstieg der Leistungskurve am späten Nachmittag können Sie sich wieder wichtigeren Aktivitäten (B-Aufgaben) zuwenden.

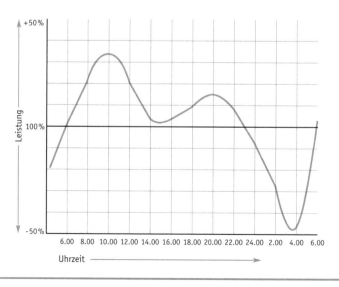

Übersicht

Ihre persönliche Leistungskurve

Zeichnen Sie nun Ihre persönliche Leistungskurve

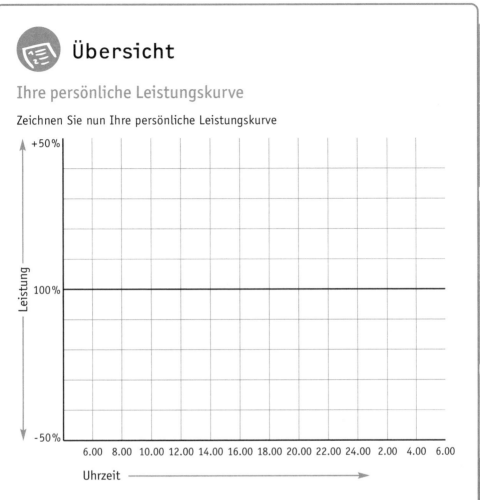

Wenn Sie durch eine Tagesorganisation nach der Leistungskurve die natürlichen Gesetzmäßigkeiten Ihres Organismus nutzen, werden Sie Ihre Produktivität erheblich steigern.

Zu langes, intensives Arbeiten macht sich nicht bezahlt, da Konzentration und Leistungsfähigkeit nachlassen und sich Fehler einschleichen. Betrachten Sie Pausen nicht als Zeitverschwendung, sondern als erholsames Auftanken von Energie. Der Regenerationseffekt, der durch Pausen eintritt, kann erheblich gesteigert werden, wenn Sie versuchen sich zu entspannen und für Bewegung und Sauerstoffzufuhr sorgen.

Aktion/Übung

1. Wie kann ich meine Tagesplanung an meinen Biorhythmus anpassen?

- _____
- _____
- _____
- _____
- _____
- _____

2. Wie kann ich den Regenerationseffekt durch Kurzpausen optimal nutzen?

- _____
- _____
- _____
- _____
- _____
- _____

3. Was werde ich ab heute tun, um meinen Leistungsrhythmus besser zu nutzen?

- _____
- _____
- _____
- _____

Reservieren Sie eine „Stille Stunde"

Viele Menschen erledigen die „eigentliche" Arbeit erst nach offiziellem Dienstschluss. Tagsüber finden Sie keine Zeit, da es zu viele Störelemente gibt: Mitarbeiter, Kunden, unangemeldete Besucher, Konflikte, Telefonate, Sitzungen etc.

Wenn jemand dauernd gestört oder in seiner Arbeit unterbrochen wird, tritt der so genannte „Sägeblatt-Effekt" ein: Wird er von seiner Aufgabe auch nur für einen kurzen Moment abgelenkt, so bedarf es bis zur erneuten Weiterarbeit an der gleichen Stelle einer zusätzlichen Anlauf- und Einarbeitungszeit. Addiert man diese Leistungsverluste einmal auf, so können bis zu 28% unserer Zeit dadurch verloren gehen.

Für die Erledigung äußerst wichtiger Aufgaben (A-Aufgaben) ist es sinnvoll, störungsfrei arbeiten zu können.

In der Praxis hat es sich deshalb bewährt, täglich eine „Stille Stunde" oder „Sperrzeit" einzurichten, in der man von niemandem gestört werden will. Wenn wir ehrlich sind, brauchen wir telefonisch nicht „rund um die Uhr" erreichbar und persönlich nicht immer sprechbereit zu sein. Das Geschäft läuft normal weiter, auch wenn Sie sich für eine Stunde von Ihrer Umwelt abschirmen. Wenn Sie mit einer anderen Person einen Termin haben oder an einer Besprechung teilnehmen, werden Sie ja in der Regel auch nicht gestört. Betrachten Sie diese Stille Stunde daher als einen sehr wichtigen Termin, Ihren vielleicht wichtigsten überhaupt.

> **Der „Sägeblatt-Effekt"**

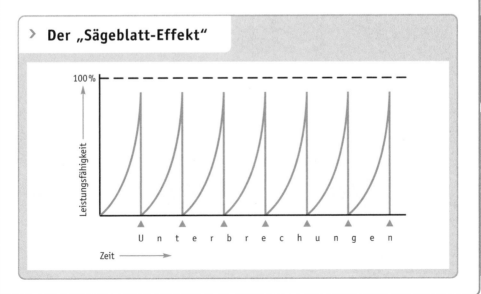

Ein Termin mit sich selbst! (Stille Stunde)

Organisatorisch brauchen Sie die Stille Stunde nur wie jeden anderen „wichtigen Termin" zu handhaben, bei dem Sie auch nicht da oder nicht kontaktbereit sind:

> Tragen Sie auch die Stille Stunde wie eine Besprechung oder einen Kundenbesuch in Ihren Tagesplan ein.
> Schirmen Sie sich für die Stille Stunde ab (am besten mit Hilfe Ihrer Sekretärin), oder schließen Sie die Tür zu Ihrem Büro zu, und sagen Sie vorher, dass Sie „nicht da" sind.

Eingehende Telefonanrufe, Anfragen von Mitarbeitern o. Ä. kann die Sekretärin entgegennehmen und Rückrufe vereinbaren. Dies mag unaufrichtig erscheinen, aber Ihre wichtigen Aufgaben sollen wenigstens einmal am Tag den absoluten Vorrang haben!

Bei der Einplanung unserer Sperrzeiten können wir die störarmen und störanfälligen Zeiten des Tages berücksichtigen. Nach den relativ ruhigen Morgenstunden zwischen sechs und acht Uhr nimmt die Zahl der Störungen im Lauf des Arbeitstages bis Mittag rapide zu. Danach sinkt die Zahl der Unterbrechungen durch Telefonate, Meetings, Kollegen und all die anderen Zeitdiebe zunächst, um gegen 16 Uhr einen weiteren Höhepunkt zu erreichen.

Die Tages-Störkurve zeigt einen solchen Verlauf für einen typischen Bürotag:

> ### Störzeiten-Kurve

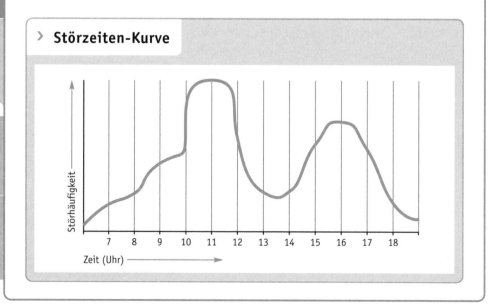

Störhäufigkeit

7   8   9   10   11   12   13   14   15   16   17   18

Zeit (Uhr)

Übersicht

Ihre persönliche Störzeitenkurve

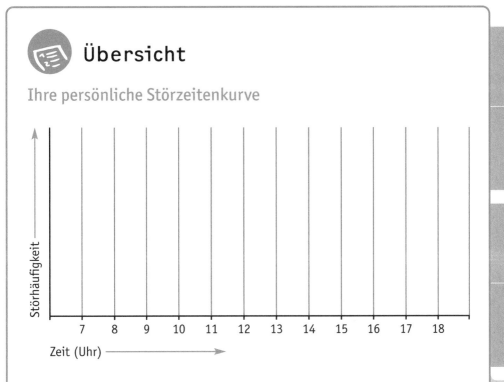

Versuchen Sie daher, entsprechend der Störzeiten-Kurve zu arbeiten, indem Sie

> während der störarmen Zeiten am Vormittag Ihre Stillen Stunden einplanen und Ihre wichtigsten Aufgaben (A-Aufgaben) erledigen,

> während der störanfälligen Zeiten häufige Unterbrechungen einkalkulieren und weniger wichtige Arbeiten (C-Aufgaben) erledigen.

Eine komplizierte, unangenehme Aufgabe, bei der man sich sehr konzentrieren muss, fällt in der Stillen Stunde erheblich leichter als im Störungshoch, wo man doppelte und dreifache Energie (vgl. Sägeblatt-Effekt) zur erfolgreichen Aufgabenbewältigung aufbringen muss.

Ideal für Ihren Termin mit sich selbst ist der frühe Morgen. Kommen Sie eine halbe, besser eine ganze Stunde vor allen anderen ins Büro und gehen Sie in Klausur, bevor die tausend Anforderungen des Alltags auf Sie einstürmen.

Es empfiehlt sich nicht, die Stille Stunde auf den frühen Nachmittag zu legen. Da ist zwar wenig los im Büro, aber Ihr Biorhythmus dümpelt gerade im Mittagstief, so dass Ihnen die nötige Konzentration und Energie für anspruchsvolle A-Aufgaben fehlen.

Aktion/Übung

Stille Stunde

1. Wie kann ich die Störzeiten-Kurve am besten bei meiner Tagesgestaltung berücksichtigen?

- _____
- _____
- _____
- _____

2. Wann ist es für mich am günstigsten, ungestörte Zeitblöcke (Stille Stunden) einzuplanen?

- _____
- _____
- _____
- _____

3. Welche meiner A-Aufgaben kann ich am besten in der Stillen Stunde erledigen?

- _____
- _____
- _____
- _____

4. Was werde ich ab heute tun, um mir regelmäßig eine Stille Stunde einzurichten?

- _____
- _____
- _____
- _____

5. Meine Stille Stunde reserviere ich täglich für die Zeit von _____ bis _____ Uhr.

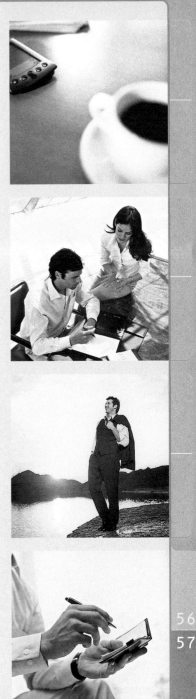

4. Mit Disziplin
zum Erfolg

»Als Ergebnis gilt:
Wenn du
Erfolg haben willst,
begrenze dich.«

Charles Augustin Saint-Beuve

Mit Disziplin zum Erfolg

Führen Sie durch Delegation

Delegation ist ein wesentlicher Schlüssel zu erfolgreicher Arbeitstechnik und zum Zeitgewinn. Ihr direkter und indirekter Nutzen ist beträchtlich.

Praktizieren Sie mehr „Management by Delegation"!

> Entscheiden Sie bei jeder Aufgabe von neuem: Muss ich diese Tätigkeit unbedingt selbst ausführen, oder kann sie nicht ebenso gut (oder noch besser) von einem Mitarbeiter erledigt werden?

> Delegieren Sie auch kontrolliert mittel- und langfristige Aufgaben Ihres Arbeitsgebietes, die den Mitarbeiter motivieren und fachlich fördern können.

> Delegieren Sie täglich sooft und so viel wie möglich – soweit es die Arbeitssituation und die Kapazität der Mitarbeiter zulässt.

> Delegieren Sie nicht nur an Ihre Mitarbeiter, sondern auch an andere Abteilungen sowie interne und externe Servicestellen.

> Wählen Sie Mitarbeiter aus, die Sie fördern möchten oder die mehr Erfahrung sammeln sollen. Delegieren Sie aber nur an Personen, die die Aufgabe auch bewältigen können und wollen.

> Delegieren Sie immer die Aufgabe gemeinsam mit den dazu erforderlichen Kompetenzen und der Verantwortung.

> Sorgen Sie dafür, dass Sie vollständige Aufgaben delegieren und dass die Aufgabe genau verstanden worden ist.

> Delegieren Sie keine strategisch wichtigen Aufgaben wie Zielsetzung. Auch Vertrauliches sollten Sie unbedingt selbst erledigen.

✔ Checkliste

„Delegations-Regeln"

☐ Was soll getan werden? (Inhalt)

☐ Wer soll es tun? (Person)

☐ Warum soll er/sie es tun? (Motivation, Ziel)

☐ Wie soll er/sie es tun? (Umfang, Details)

☐ Wann soll es erledigt sein? (Termine)

Selbst-Test: Ihre Einstellung zur Delegation

Welchen Argumenten zum Nutzen der Delegation stimmen Sie zu?

☐ Delegation hilft, sich zu entlasten und Zeit für wichtige Aufgaben (z. B. für die eigentliche Führungsfunktion) zu gewinnen.

☐ Delegation hilft, die Fachkenntnisse und Erfahrungen der betreffenden Mitarbeiter zu nutzen.

☐ Delegation hilft, die Fähigkeit, Initiative, Selbstständigkeit und Kompetenz der Mitarbeiter zu fördern und zu entwickeln.

☐ Delegation wirkt sich oft positiv auf die Leistungsmotivation und Arbeitszufriedenheit der Mitarbeiter aus.

Haben Sie mehrere oder gar alle Punkte angekreuzt? Dann werden Sie auch unserer These zustimmen:

Delegation ist für Führungskräfte und Mitarbeiter gleichermaßen von Vorteil, denn sie bedeutet:

> Selbstentlastung,
> Zeit für A-Aufgaben und
> Chancen für Mitarbeiter, sich zu entwickeln (Motivation).

Mitarbeiter reagieren in der Regel überwiegend positiv auf richtig angewandte Delegation, das heißt die Übertragung von Arbeitsaufgaben und Kompetenzen plus Verantwortung.

Erfolgreiche Delegation setzt zwei Dinge voraus:

> die Bereitschaft zu delegieren (das Wollen),
> die Fähigkeit zu delegieren (das Können).

Wer nicht effektiv delegiert, betreibt auch kein effektives (Zeit-)Management. Das Wollen ist Ihre persönliche Entscheidung. Das Können verlangt Ihnen lediglich etwas Organisationstalent und Begeisterungsfähigkeit ab.
Was hindert Sie daran, ab heute mehr Aufgaben als bisher zu delegieren?

 # Übersicht

Aktivitäten-Checkliste

Wirksames Delegieren erfordert eine gute Arbeitsorganisation!
Planen Sie auch Ihre Aufgabendelegation, und überwachen Sie die delegierten
Aufgaben und Termine mit einer Arbeitshilfe „Aktivitäten-Checkliste/Aufgaben-
Kontrolle" (Blanko-Muster, Seite 62).

Für den Monat Mai

Datum	Priorität A	B	C	Aktivität/ Aufgabe	Zeit- bedarf	Erledigt durch	Beginn	Fertig bis	OK ✓
2.5.	x			Werbekonzept TIS fertig stellen	1,0	selbst		30.5.	
3.5.		x		Planung Konferenz HET vorbereiten		H. Müller	5.5.	20.5.	
3.5.		x		Vortrag IHK Ulm ausarbeiten		VK-Abt.		18.5.	
5.5.		x		Arbeitsbericht „Fehlzeiten" prüfen	0,5	selbst		10.5.	
7.5.			x	Projektgruppe IBM einberufen		Hr. Heyman		16.5.	
7.5.			x	Artikel „Textverarbeitung" schreiben	2,0	selbst		30.5.	
8.5.			x	Werksbesichtigung BMW organisieren		Fr. Karrer		28.5.	
12.5.			x	Verkaufsbericht „Süd" zusammenstellen		H. Theisen		21.5.	
17.5.			x	Seminarplanung abgeben	0,5	selbst		30.5.	

Übersicht

Ihre persönliche Aktivitäten-Checkliste

Erstellen Sie nun nach dem Muster auf der vorhergehenden Seite Ihre Aktivitäten-Checkliste (To-do-Liste) für den nächsten Monat.

Für den Monat _____

Datum	Priorität A | B | C	Aktivität/ Aufgabe	Zeit- bedarf	Erledigt durch	Beginn	Fertig bis	OK ✓

Das „Eisenhower-Prinzip"

Ein einfaches, praktisches Hilfsmittel zur Delegation bildet das auf Dwight D. Eisenhower (1890 – 1969) zurückgehende Entscheidungsraster, insbesondere, wenn schnell entschieden werden muss, welchen Aufgaben der Vorzug einzuräumen ist. Prioritäten werden nach diesen beiden Kriterien gesetzt:

> Wichtigkeit
> Dringlichkeit

Leider herrscht in unserer Gesellschaft der Dringlichkeitswahn. Jeder will alles immer sofort und wir glauben, alles, was eilig ist, zuerst erledigen zu müssen. Dabei ist vieles Dringliche nicht wichtig und vieles Wichtige nicht dringlich. Beugen Sie sich nicht länger dem Diktat der Dringlichkeit und setzen Sie klare Prioritäten.

Je nach hoher und niedriger Wichtigkeit oder Dringlichkeit einer Aufgabe lassen sich vier Möglichkeiten der Bewertung und (anschließenden) Erledigung von Aufgaben unterscheiden:

> Aufgaben, die sowohl dringend als auch wichtig sind, müssen Sie sich selbst widmen und sofort in Angriff nehmen (A-Aufgaben).

> Aufgaben von hoher Wichtigkeit, die aber noch nicht dringlich sind, können zunächst warten, sollten aber geplant, das heißt terminiert bzw. kontrolliert delegiert werden (B-Aufgaben).

> Aufgaben, die keine hohe Wichtigkeit haben, aber dringend sind, sollten delegiert bzw. nachrangig erledigt werden (C-Aufgaben).

> Von Aufgaben, die sowohl von geringer Dringlichkeit als auch geringer Wichtigkeit sind, sollten Sie unbedingt Abstand nehmen (Papierkorb).

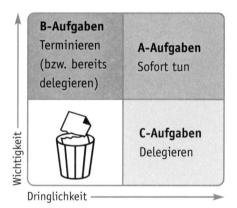

> **Tipp**

Haben Sie ein wenig mehr Mut zum Risiko, und entscheiden Sie sich öfter für den Papierkorb, den besten Freund des Menschen. Manches erledigt sich von selbst, wenn es lange genug liegen bleibt.

Aktion/Übung

Delegation

1. Was hinderte mich bisher daran, mehr Aufgaben zu delegieren?
   - _____
   - _____
   - _____

2. Welche meiner Aufgaben können meine Mitarbeiter fallweise oder dauerhaft übernehmen?
   - _____
   - _____
   - _____

3. Wie kann ich delegierte Aufgaben regelmäßig terminlich kontrollieren?
   - _____
   - _____
   - _____

4. Was kann ich ab heute tun, um sofort aus meinem Aufgabenkatalog mehr zu delegieren?

   Aufgabe A
   Zeitbedarf: Delegieren an:

   Aufgabe B
   Zeitbedarf: Delegieren an:

   Aufgabe C
   Zeitbedarf: Delegieren an:

Verwenden Sie ein Zeitplan-Tool

PDAs und Smartphones sind die Antwort auf die wachsende Komplexität unserer Tätigkeiten und Beziehungen und die Beschleunigung der Arbeitsprozesse. Leider bergen sie aber auch die Gefahr, die vielfältigen Anforderungen unseres Lebens noch weiter zu steigern. Je mehr Funktionen ein Zeitplan-Tool erfüllen kann, desto mehr Zeit muss man aufwenden, bis man es optimal bedienen und nutzen kann, und desto häufiger ist man den Tücken der Technik ausgeliefert.

Ein Zeitplan-Tool ist ein Hilfsmittel, das Zeit sparen soll, und darf nicht selbst zum Zeitdieb werden, nach dem Motto „Wir sind zwar immer noch im Stress, aber moderner!"

Ziel- und Zeitplanbuch statt Terminkalender

Ein bewährtes Arbeits-, Ordnungs- und Selbstdisziplinierungsmittel stellt das Ziel- und Zeitplanbuch dar. Es ist weit mehr als ein konventioneller Chef- oder Terminkalender, der in der Regel nur eine Erinnerungshilfe für Termine und Daten darstellt, aber keine Aktivitätenlisten, Prioritäten, Zeitdauer und Zielsetzungen von Aufgaben enthält, die man selbst erledigen oder delegieren will.

Ein einfacher Terminkalender kann somit nie die verschiedenen Funktionen eines Zeit„plan"buches übernehmen. Ein Leistungsvergleich: Terminkalender – Zeitplanbuch zeigt, welche entscheidenden Vorzüge die Verwendung eines Zeitplanbuches bringt:

> **Zeitplan-Tools: Vom Terminkalender zum virtuellen Organizer im Internet**

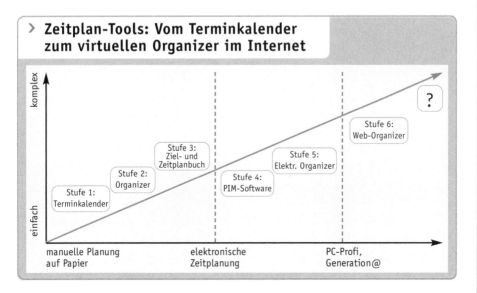

Übersicht

Systemaufbau eines Zeit- und Zielplanbuches

Hauptabschnitte	Register	Formblätter
1. Aufgaben: Planung/ Durchführung/Kontrolle	Aktivitäten	• Aktivitäten/Checkliste • Besprechungsplan, Projektplanung
Erfassen und Planen aller Termine, Aufgaben und Vorhaben (kurz-, mittel-, langfristig) sowie Durchführung und Kontrolle dieser Aktivitäten	Übersicht	• Monatspläne • Projektplan/Netzplan, Projektplan/Netzplan Folgejahr • Jahres-Übersicht, Jahres-Übersicht Folgejahr • Wochenplan/Feste Termine
	Tagesplanung	• Tagespläne, Terminzeichen
2. Persönliche Informationen, Datenbank	Databank	• Datenbank/Inhaltsverzeichnis • Memo/Ge-/Verliehen • Zahlungstermin/Übersicht • Private Daten
Speichern von Notizen, Daten und Fakten für die wichtigsten Arbeitsbereiche		
3. Allgemeine Informationen/ Formblätter/Telefon-/Fax-/Mail-/ Adressen-Verzeichnis	Info	• Allg. Informationen, Weltkarte • Schulferien/Feiertage • Messetermine • Steuertermine/Übersicht
Schnelles Auffinden allgemeiner Informationen und benötigter Anschriften, Fax- und Rufnummern und Mailadressen (auf Reisen, beim Kundenbesuch, im Büro und zu Hause)	Diverse	• Notizen, Berichte • Liniertes Papier, Kariertes Papier • Umsatz-Diagramm, Reisekosten-Abrechnung
	Adressen	• Telefon-/Adressen-Verzeichnis, Intern. Vorwahl-Kennzahlen • Klarsichthüllen

Herkömmliche Terminkalender, die nur zur Terminvormerkung benutzt werden können, sind daher die Totengräber jeder erfolgreichen Zeitplanung. Durch den Einsatz und die Anwendung eines Ziel- und Zeitplanbuches kann die tägliche Arbeit besser geplant, organisiert, koordiniert und rationeller durchgeführt werden. Das Zeitplanbuch verbessert die Qualität und den Erfolg der eigenen Arbeit. Bei nur ca. 10 % Rationalisierung – die Anbieter versprechen 15 bis 40 % mehr Zeit – lässt sich durch ein effektives „Management mit Zeitplanbuch" täglich eine ganze Stunde Zeit einsparen!

Das Ziel- und Zeitplanbuch ist immer griff- und einsatzbereit und bietet neben Kalender, Aktivitätenlisten, Adressverzeichnis und wichtigen Infos auch Raum für spontane Notizen und kreative Ideen. Im Vergleich zu elektronischen Organizern ist es außerdem sehr kostengünstig und Sie brauchen weder Computerkenntnisse noch Einarbeitungszeit, um mit diesem Zeitplan-Tool zurechtzukommen.

Eine gute Marktübersicht über das Angebot an Zeitplanbüchern gibt Ihnen der aktuelle ORG-Test mit Herstellernachweis auf den nächsten Seiten. Hier werden die gängigen Zeitplanbücher hinsichtlich Leistung, Benutzerfreundlichkeit, Bedienungsanleitung, Design und Ausstattung verglichen. Über die angegebenen Internetadressen können Sie bei den jeweiligen Anbietern weitere Einzelheiten erfahren.

Ziel- und Zeitplanbuch (Quelle: tempus)

Übersicht

ORG-Test: Zeitplanbücher mit Herstellernachweis

Produkt	Formate[1]	Mindest-voraus-setzungen[2]	Benutzer-freund-lichkeit	Bedie-nungsan-leitung	Metho-dische Basis	Design	Planer inkl. Jahresfülung ab €[3]
bind Terminplansysteme	A5, Midi, WT	+++	++	–	+	+++	K 28
Brunnen-Timer	A5, Midi, WT	+++	++	+	+	+++	K 58, L 103
Chef, Boss	A5, Midi	+++	+	++	+	+++	K 40, L 133
Chronoplan	A5, Midi, WT	+++	+++	+++	++	+++	K 119, L 255
Colleg Timing	A5, WT	+++	+++	+++	+++	+++	K 100, L 165
Filofax Systemorganizer	A5, Midi, WT	+++	++	–	++	++	K 50, L 179
Ganzheitliche Methodik	Midi, WT	+++	+++	+++	++	++	L 126
HelfRecht-Planer	WT	+++	+++	+++	+++	+++	K 68, L 100
idé Timer	A5, Midi	+++	++	+	+	+++	o. A.
Löhn-Methode	WT	+++	++	+++	+++	+++	L 115
mano-organizer	A5, Midi, WT	+++	++	–	–	+++	K 85, L 165
MEGAtimer	A5, WT	+++	+++	+++	++	+++	K 88, L 230
MeisterTimer	A5	+++	++	–	+	+++	L 336
MemoSet	Midi, WT	+++	+	++	+	+++	K 66, L 136
montemps	A5	++	+	–	–	++	L 87
MOTI-planer	A5	+++	+++	+++	++	+++	K 73, L 164
myTimer	A5, WT	+++	+++	+++	+++	+++	K 38, L 110
orgatime	A5	+++	++	–	+	+++	K 56, L 148
ORG-RAT	A5, Midi, WT	+++	++	++	++	+++	K 34, L 71
Schäfer Shop Zeitplansystem	A5, Midi	++	++	++	+	+++	L 80
Success Zeitplaner	A5, Midi, WT	+++	+++	+++	++	+++	K 57, L 85
tempus	A5, WT	+++	+++	+++	+++	+++	K 90, L 120
Time/system	A5, Midi, WT	+++	+++	+++	+++	+++	K 111, L 137
Time-Manager	A5, WT	+++	+++	+++	+++	+++	K 158, L 352
Tycoon	A5	+++	++	++	++	+++	K 202, L 394
VA-Planer	A5	++	+	+	–	++	L 105
zp-System	A5, WT	+++	+++	++	++	+++	K 228, L398
zeitpilot	A5	++	+	+	+	+++	K 131, L 215

1) „Midi" = Format zwischen A5 und A6;
„WT" = Westentaschenformat = A6
3) Preise (gerundet) beziehen sich – wenn vorhanden –
auf das Westentaschenformt, sonst auf das A5-Format
„K" = Kunststoff, „L" = Leder, „o. A." = ohne Angabe

2) **Bewertung:**
+++ = sehr gut;
++ = gut;
+ = zufriedenstellend
„ – " = nicht vorhanden oder mangelhaft

Gesamt-urteil	Produkt	Hersteller	Internet-adresse	Telefon
++	bind Terminplanssteme	bind GmbH	bind.de	(0 21 96) 7 25 90
++	Brunnen-Timer	Baier & Schneider GmbH & Co. KG	brunnen.de	(0 71 31) 88 60
++	Chef, Boss	Cgd Verlag und Vertriebs GmbH	zeitplaner.com, terminplaner.de	(07 11) 4 01 64 00
+++	Chronoplaner	Avery Zweckform GmbH	chronoplaner.com	(08 00) 6 41 20 00
+++	Colleg Timing	Schmidt Colleg GmbH	schmitdcolleg.de	(0 92 65) 99 20
++	Filofax Systemorganizer	Filofax GmbH	filofax.de	(0 61 96) 8 89 20
++	Ganzheitliche Methodik	Ganzheitliche Methodik Verlag GmbH	–	(0 80 31) 5 06 96
+++	HelfRecht-Planer	HelfRecht AG	helfrecht.de	(0 92 32) 60 10
++	idé Timer	Regine Fleer	kalender-fleer.de	(0 52 25) 32 30
+++	Löhn-Methode	coda KG	loehnmethode.de	(0 76 81) 4 02 30
+	mano-organizer	Mano-Lederwaren GmbH & Co. KG	–	(0 69) 9 89 45 00
+++	MEGAtimer	MEGAtimer International	megatimer.com	+43 6 62 84 35 75
+	MeisterTimer	Holzmann Buchverlag	holzmann-buchverlag.de	(0 82 47) 35 41 24
++	MemoSet	Straub Druck GmbH	memoset.de	(0 74 22) 51 30
+	montemps	Peter Montemps-Verlag	–	(07 11) 73 37 18
+++	MOTI-planer	Siller GmbH & Co. KG	moti-planer.de	(07 91) 5 80 00
+++	myTimer	Hirt-Institut AG	hirt-institut.ch	+41 1 3 21 10 20
+	orgatime	Rausch Druck GmbH	rauschdruck.de	(08 21) 7 96 03 33
++	ORG-Rat	Org-Verlag Mademann OHG	org-rat.de	(0 30) 41 73 07 20
+	Schäfer Shop Zeitplansystem	SSI Schäfer Shop GmbH	schaefer.shop.de	(0 18 05) 33 66 50
+++	Succes Zeitplaner	Succes Deutschland GmbH	succes.de	(0 21 31) 74 50 60
+++	tempus	tempus	tempus.de	(0 18 05) 25 01 10
+++	Time/system	Time/system Management Organisation GmbH & Co.	timesystem.de	(0 40) 55 39 85 53
+++	Time-Manager	TMI Training und Consulting GmbH	timemanager.com	+43 2 25 27 67 51
++	Tycoon	Tycoon GbR	–	(09 06) 9 10 21
+	VA-Planer	Bielefelder Verlagsanstalt	bva-bielefeld	(05 21) 59 50
+++	zp-System	zeit & plan management GmbH	zeitplan.com	(0 18 05) 21 21 30
+	zeitpilot	Peter Zeitpilot Verlag	zeitpilot.de	(07 11) 73 37 18

Quelle: ORG-Test 2003. Mit freundlicher Genehmigung von ORG: Der persönliche Organisations-Berater.
Bonn: VNR Verlag für die deutsche Wirtschaft (www.ORG-online.de)

Elektronische Zeitplan-Software (PIM)

Zeitmanagement wird zum Personal Information Management (PIM). Die Zeitplanung per PC bietet eine Reihe von neuen Möglichkeiten:

→ Kontakte, Termine, Aufgaben, Personen etc. werden den entsprechenden Projekten zugeordnet und umgekehrt.
→ Ziele werden konsequent verfolgt und auf ihre zeitgerechte Einhaltung hin kontrolliert.
→ Neue Termine werden mit der bestehenden Planung auf Überschneidungen überprüft, um Doppeleintragungen zu verhindern.

→ Wichtige, unerledigte Aufgaben werden automatisch auf den nächsten Tag übertragen und können nach Zeitdauer und Priorität angezeigt werden.

Soll hingegen nur schnell eine Idee eingegeben werden, benötigen der PC- und Programm-Start immer noch recht viel Zeit.

Marktführer der PIM-Programme ist Lotus Organizer. MS Outlook als Jedermann-Lösung liegt vor allem im Consumerbereich in Führung. Der aktuelle ORG-Test zeigt Ihnen das momentane Marktangebot.

MS Outlook:
Auf vielen PCs
Standard

Übersicht

ORG-Test: Zeitplan-Software

Produkt	Mindestvoraussetzungen	Benutzerfreundlichkeit	Bedienungsanleitung	Methodische Basis	Projekte, Sonderfunktionen	Workgroup	Preise ab € Einzel/ 5 User	Gesamturteil
ACT! 6.0	+++	++	++	+	+	+	199/ -	++
AG TOP	+++	++	+++	+	+	+++	86/250	++
A-Plan 2002	++	++	+++	+	+++	+++	183/972	++
Commence RM	+++	+++	+++	++	+++	++	664/3.630	++
Franklin Planner 8.0	+++	+++	+++	+++	++	+	78/330	++
GenesisWorld 4.1	+++	+++	+++	++	+++	+++	498/1.878	+++
GoldMine 5.5	+++	+++	+++	++	+++	++	99/399	++
Lotus Organizer	+++	+++	++	++	+	++	58/ -	+++
MS Outlook 2002	+++	++	++	+	n. v.	++	160/ -	++
Red Box Organizer 4.2	+++	++	+	++	++	n. v.	40/ -	++
SnPlanerPro 7.0	++	+	++	+	n. v.	n. v.	39/158	+
TaskTimer 5.2	+++	+++	++	++	+++	+++	189/900	+++
TeamWorks 4.2	+++	+++	++	++	+++	++	298/498	+++
TerminManager 6.3	+++	+++	+++	++	+++	+++	202/587	+++
Time Control 8.0	+++	+++	++	++	n. v.	++	102/590	++
winERNA 3.2	+++	++	+++	+++	++	+	390/-	+++

+++ = sehr gut; ++ = gut; + = zufriedenstellend; n. v. = nicht vorhanden
Quelle: ORG-Test „Zeitplan-Software 2003". Mit freundlicher Genehmigung von ORG: Der persönliche Organisations-Berater.
Bonn: VNR Verlag für die deutsche Wirtschaft (www.ORG-online.de)

Übersicht

Hersteller mit Internetadressen und Telefonnummern

Produkt	Hersteller	Internet: www...	Telefon
ACT! 6.0	Sage CRM Solutions GmbH	act.com	(0 89) 45 79 02 68
AG TOP	Grutzeck Software GmbH	grutzeck.de	(0 61 81) 9 70 10
A-Plan 2002	BrainTool Software GmbH	braintool.de	(0 71 43) 9 61 92 10
Commence RM	Schmidt e-Services GmbH	commence.de	(06 11) 98 52 54 40
Franklin Planner 8.0	FranklinCovey Europe Ltd.	franklincovey-europe.com	00 44 (12 95) 27 41 00
GenesisWorld 4.1	CAS-Software AG	cas.de	(07 21) 9 63 80
GoldMine 5.5	FrontRange Solutions Deutschland GmbH	frontrange.de/goldmine. htm	(0 89) 3 18 83 0
Lotus Organizer	IBM Deutschland GmbH	lotus.com/world/germany. nsf	(0 89) 45 04-0
MS Outlook 2002	Microsoft Deutschland GmbH	microsoft.com/germany	(0 89) 3 17 60
Red Box Organizer 4.2	Inkline Global, Inc.	inklineglobal.com	nicht verfügbar
SnPlanerPro 7.0	Softwarebüro N. Schäfers	sowas.com	(0 62 63) 42 93 80
TaskTimer 5.2	CRR Datensysteme GmbH	crr.de/tasktimer	(0 21 73) 90 42 30
TeamWorks 4.2	CAS-Software AG	cas.de	(07 21) 9 63 80
TerminManager 6.3	TEAM6 Dörries KG	team6-kg.de	(0 36 28) 66 02 40
Time Control 8.0	TCS Computer und Vertriebs GmbH	tcs-computer.de	(0 62 22) 9 20 60
winERNA 3.2	Swiss Organizer AG	schaepmann.de.vu	00 41 (1) 26 20 55-0

Quelle: ORG-Test „Zeitplan-Software 2003". Mit freundlicher Genehmigung von ORG. Der persönliche Organisations-Berater. Bonn: VNR Verlag für die deutsche Wirtschaft (www.ORG-online.de)

Elektronische Organizer (PDAs)

Das Zeitmanagement mit elektronischen Organizern – auch Palms oder PDAs (Personal Digital Assistants) genannt – wird immer beliebter. Die größten Vorteile dieser „Handhelds": Sie sind klein, handlich, auch ohne Stromanschluss langlebig und immer aktiv – das umständliche „Booten" wie bei PCs entfällt. Das Verwalten von Adressen, Terminen, Texten und Aufgaben bis hin zu E-Mails bekommen Sie mit einem PDA optimal in den Griff.

Insgesamt gibt es drei Organizer-Familien oder Produktlinien mit unterschiedlichen Betriebssystemen:

> Palm/OS: Der marktführende Organizer mit zunehmend mehr Funktionen wie Digitalkamera, Spielen, Musik (MP3). Über eine Dockingstation erfolgt ein regelmäßiger Datenabgleich mit dem Desktop; Handschrifterkennung ist möglich, aber nicht einfach.
> Psion (EPOC): Bei geringem Speicherbedarf können Sie neben der Terminplanung auch Text-, Tabellen-, Datenverarbeitung und andere Module laufen lassen.
> Windows CE: Diese PDAs laufen mit einer abgespeckten Windows-Version. Es gibt Geräte von Casio („Cassiopeia"), Compaq („Aero") und Hewlett-Packard („Jornada").

Wenn Sie viele Daten verwalten, aber nicht immer einen Laptop mit sich herumtragen wollen, die Übertragung neuer Daten vom Papier-Zeitplanbuch auf den PC mühsam finden und längere Zeitstrecken unabhängig vom Netzstrom arbeiten wollen, lohnt sich für Sie die Anschaffung eines elektronischen Organizers.

Organizer lassen sich durch Kabel oder Infrarot mit dem PC oder untereinander verbinden. Verschiedene Zeitplan-Programme wie z. B. Lotus Organizer bieten Schnittstellen zu bestimmten Organizern (Psion, Palm). Der aktuelle ORG-Test zeigt die drei marktrelevanten Gerätefamilien; exotische Geräte, die nur über eine bescheidene Planungs-Software verfügen oder nicht mit PCs kommunizieren können, wurden vernachlässigt.

Übersicht

ORG-Test: Elektronische Organizer

Kriterium	Palm	EPOC/Psion	Windows CE
Organisatorische Mindestvoraussetzungen (Gesamtergebnis)	++	+++	++
1. Monatsübersicht mit Ereignissen	n.v.[1]	++	n.v.
2. Wochenübersicht mit Ereignissen	++	+++	+++
3. Warnung bei Terminüberschneidungen	++	++	++
4. Aktivitäten-Checkliste	++	+++	++
Benutzerfreundlichkeit (Gesamtergebnis)	+++	+++	++
1. Übersichtlichkeit	+++	++	+++
2. Intuitive Bedienung	+++	+++	+++
3. Periodische Termine werden automatisch übernommen	n.v.	++	++
4. Druckmöglichkeiten „WYSIWYG"	+++	+++	+++
5. Bedienung/Bedienungsanleitung	+++	+++	+++
Methodische Basis (Gesamtergebnis)	+++	+++	++
1. Methodische Eigenständigkeit der Zeitplanung gegenüber Zeitplanbüchern	+++	+++	++
2. Aufgaben, Aktivitäten, To-do-Listen	+++	+++	+++
Übertragungs- und Sonderfunktionen	+++	+++	+++
Bezug: Direkt[2] / Fachhandel[3] (D/F)	D/F	F	F

+++ = sehr gut
++ = gut
n. v. = nicht vorhanden

1) Handspring Visor bietet hier eine Monatssicht, Urteil: ++
2) Direktvertrieb: in der Regel über das Internet oder den Anbieter
3) Fachhandel: klassischer Fachhandel als auch Großmärkte wie beispielsweise Saturn-Hansa, Media Markt etc.

Produkt	Hersteller	Internetadresse	Telefon
Psion/EPOC	Psion GmbH Deutschland	psion.de	(01 80) 5 07 74 66
Windows CE	Casio Computer Co. GmbH Deutschland	casio.de	(0 40) 52 86 50
Palm	Palm, Inc.	palm.com/europe/ de_german/index.html	(0 69) 95 08 62 89

Quelle: ORG-Test 2001. Mit freundlicher Genehmigung von ORG. Der persönliche Organisations-Berater. Bonn: VNR Verlag für die deutsche Wirtschaft (www.ORG-online.de)

Web-Organizer

Das Prinzip ist einfach: Mit Hilfe eines Passwortes loggt sich der Anwender weltweit von jedem beliebigen Rechner mit Internet-Zugang in seinen Web-Organizer ein und verwaltet dort meist kostenlos seine persönlichen Termine, Adressen, Aufgaben, Memos, Bookmarks und Dateien (Dokumente, Bilder, MP3-Musik).

Der Nutzer kann über verschiedene Endgeräte wie Notebook/PC, PDA oder Handy auf seine Daten zugreifen oder sie mit einem PDA synchronisieren. An Termine, Aufgaben oder Geburtstage kann er sich automatisch per SMS oder E-Mail erinnern lassen. Über die Gastfunktion können sich Teams, Freunde, Kollegen gemeinsam im Web organisieren und zum Beispiel private Fotos einsehen. Darüber hinaus versorgt eine intelligente Profilsteuerung (bisher nur bei www.daybyday.de) die Nutzer auf Wunsch gezielt mit individuellen und regionalisierbaren Eventvorschlägen, nützlichen Kontaktadressen und Links zu interessanten Websites.

Oberstes Gebot ist die Datensicherheit und Verschlüsselung (SSL), und der eigene Internet-Zugang muss stabil und zuverlässig sein.

Wer will, kann über Web-Organizing alle seine Daten endlich zentral verwalten. Viele Nutzer haben ihre persönlichen Daten online oder offline verteilt:

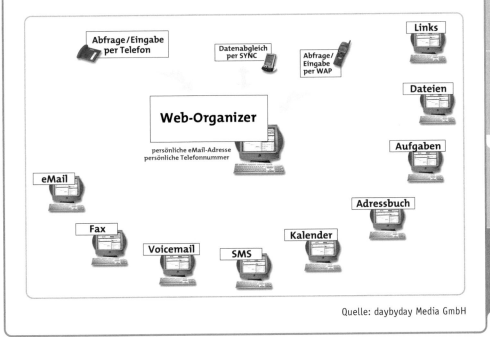

Quelle: daybyday Media GmbH

> die E-Mails beispielsweise bei GMX,
> den Terminkalender in MS-Outlook,
> die Bookmark-Liste im Browser auf dem PC zu Hause,
> virtueller Anrufbeantworter und Fax bei einem UMTS-Anbieter,
> die wichtigsten Daten auf dem PC in der Firma und
> die Aufgaben auf Post-it-Stickern z. B. auf dem Bildschirm.

Ein web-basierter Organizer führt alle diese Dinge zusammen.

Je dezentraler und mobiler die Anwender arbeiten, desto geeigneter sind Online-Organizer. In Kombination mit einem WAP-Handy sind sie als Alternative, aber auch als Ergänzung zum PDA auf dem Vormarsch. So übersprang Marktführer und Testsieger „daybyday" Ende 2000 bereits die Schwelle von 100 000 registrierten Nutzern.
Die führende Computerzeitschrift CHIP hat einen aktuellen Vergleichstext kostenloser Web-Organizer durchgeführt. Da die angebotenen Leistungsmerkmale ständig erweitert und optimiert werden, empfehlen wir Ihnen, den aktuellen Stand selbst im Internet unter den einschlägigen Adressen zu recherchieren.

Ein virtueller Web-Terminplaner erschließt neue Dimensionen. Ob sich die Online-Organizer gegen Handy, PDA und vor allem alte Gewohnheiten durchsetzen können, wird sich zeigen. Zurzeit sind sie kein Ersatz, aber eine interessante Ergänzung für Outlook oder Palm. Die weitere Zukunft der Web-Organizer hängt auch von den zukünftigen Online-Kosten sowie den Geschwindigkeiten im Web und der neuen UMTS-Handys ab.

Mit einem Zeitplan-Tool können Sie zwei Dinge bewirken:
> Sie können Ihre Zeit so einteilen, dass Sie noch mehr Zeit zum Arbeiten haben.
> Oder Sie können Ihre Zeit so einteilen, dass Sie mehr Zeit für sich selbst, für Ihre Familie, Ihre Freunde und für Ihr persönliches Fitnessprogramm haben.

> Tipp

Lassen Sie sich von dem riesigen Angebot an Hightech-Geräten nicht verunsichern. Wählen Sie Ihr Zeitplan-Tool nach Ihren persönlichen Bedürfnissen, Aufgaben und Arbeitsgewohnheiten aus. Wenn Sie am besten mit einem Zeitplan-Buch arbeiten können, brauchen Sie auch keinen elektronischen Organizer.

Selbst-Test: Welcher Organisations-Typ sind Sie?

Mit dem Test auf den folgenden Seiten finden Sie heraus, welcher Organisations-Typ Sie sind und wie Sie Ihr Selbstmanagement möglicherweise noch optimieren können.

Jeder Mensch hat seine Eigenheiten, auch in puncto Selbstorganisation. Manche glänzen als Organisationstalent, andere treten eher als wandelndes Chaos in Erscheinung. Die einen können gut organisieren – sie planen und erledigen ihr Arbeitspensum ganz souverän, arbeiten systematisch und lassen sich nicht von den Wechselspielen des Tagesgeschehens ablenken. Ihnen bleibt am Ende mehr Freiraum, um private und berufliche Wünsche zu erfüllen und die selbstgesteckten Ziele zu erreichen.

Im Gegensatz dazu stapelt sich auf den Tischen der Desorganisierten die unerledigte Arbeit. Sie schieben Aufgaben vor sich her und versuchen, sich irgendwie durch ihren als hektisch und stressig empfundenen Alltag durchzuschlagen. Zeitmangel ist ihr größtes Problem.

Nur keine Ausreden

Der Fähigkeit zur Selbstorganisation liegt kein unumstößliches Naturgesetz zugrunde. Schließlich gibt es keine genetische Veranlagung, die uns zu Selbstmanagement oder Planlosigkeit treiben würde. Wer freimütig einräumt, er sei halt einfach etwas schlampig, macht es es sich daher zu leicht. Entscheidend ist nicht wie intelligent oder gebildet, wie fleißig oder faul, wie nachlässig oder ordentlich jemand ist, sondern wie er:

> mit seiner Zeit umgeht,
> Informationen verarbeitet und
> sich selbst motiviert.

Um mehr Klarheit über Ihre eigene Herangehensweise zu erhalten, beantworten Sie zuerst die Fragen zu Ihrem Zeitmanagement-Profil und bestimmen dann Ihren Strukturierungsgrad. Die Auflösung des Selbst-Tests finden Sie auf den Seiten 82 und 83.

Zeitplantest, Teil 1: Zeitmanagement-Profil (bitte jeweils ankreuzen)

	ja	nein	jein
1. Für mich ist es wichtig, meinen Terminplaner stets bei mir zu haben.	0	1	2
2. Ich mache meine Notizen lieber auf Papier als am PC.	0	1	2
3. Ich möchte, dass auch andere im Team auf meine Termine/Projekte zugreifen können.	0	1	2
4. Bei Besprechungen/Meetings möchte ich immer meine komplette Termin-/Projektplanung dabeihaben.	0	1	2
5. Ich kümmere mich um meine Termine nicht selbst, sondern lasse das von einer Sekretärin/einem Assistenten erledigen.	0	1	2
6. Ich leite ein Team und plane Termine/Aufgaben auch für andere Mitarbeiter.	0	1	2
7. Von wichtigen Dokumenten mache ich grundsätzlich einen Ausdruck.	0	1	2
8. Ich arbeite an vielen verschiedenen Arbeitsplätzen in der Firma.	0	1	2
9. Meine wichtigsten Gespräche führe ich meist informell, zum Beispiel beim Mittag- oder Abendessen.	0	1	2
10. Ich mache jeden Tag eine Liste der Dinge, die ich zu erledigen habe.	0	1	2
11. Sämtliche Termine für mich plane ich selber und unabhängig von anderen in der Firma.	0	1	2

	0	1	2
12. Für mich ist es wichtig, eine schnelle Verknüpfung zwischen Zeit- und Projektplanung herzustellen.			
13. Ich brauche immer jemanden, der mich an anstehende Termine erinnert.			
14. Ich bin viel unterwegs, arbeite häufig im Zug oder im Flugzeug.			
15. Ich möchte mich jederzeit über die Terminsituation meiner Arbeitsgruppe informieren können.			
16. Das Team, mit dem ich zusammenarbeite, hat keine gemeinsamen Arbeitsräume, sondern ist verteilt auf mehrere Gebäude/Städte/Länder.			
17. Ich brauche stets möglichst umfassenden Zugriff auf mein Datenmaterial.			
18. Was ich einmal handschriftlich notiert habe, vergesse ich nicht mehr.			
19. Ich brauche das Gefühl, alles schwarz auf weiß zu haben. Der virtuellen Welt vertraue ich nicht so recht.			
20. Ich arbeite stationär an einem Arbeitsplatz mit PC, den ich nur selten für kurze Besprechungen verlasse.			

Quelle: Zeitplan-Test von Time/system
Mehr Informationen zu Zeitmanagement und Planersystemen finden Sie auch auf www.timesystem.de.

Selbst-Test: Welcher Organisations-Typ sind Sie?

Zeitplantest, Teil 2: Strukturierungsgrad

A = trifft überhaupt nicht zu
B = trifft gelegentlich zu
C = trifft voll zu

	A	B	C
1. Es kommt so gut wie nie vor, dass ich Termine vergesse.			
2. Auf meinem Schreibtisch sieht es nie aus wie auf einem Schlachtfeld.			
3. Wenn ich nicht gestört werden möchte, schotte ich mich konsequent ab.			
4. Die schwierigsten Dinge packe ich gleich früh am Morgen an.			
5. Bei einer Besprechung habe ich wichtige Informationen immer zur Hand.			
6. Wenn ich an einem Projekt oder Manuskript arbeite, vermeide ich es, alle Informationen um mich herum auszubreiten.			
7. Ich habe nicht das Gefühl, dass ich mich leicht ablenken lasse.			
8. Am besten kann ich mich konzentrieren, wenn mein Schreibtisch aufgeräumt ist.			
9. Es kommt häufig vor, dass ich mein Telefon auf einen Kollegen oder das Sekretariat umstelle.			

	A	B	C
10. Ich ordne alle Aufgaben streng nach Prioritäten.	☐	☐	☐
11. Wenn mein Chef ruft, springe ich nicht sofort auf und renne hin.	☐	☐	☐
12. Wenn ich ein Schriftstück in die Hand bekomme, erledige ich den Vorgang – wenn möglich – sofort und endgültig.	☐	☐	☐
13. Ich mache mit meinen Kollegen selten spontane Kurzmeetings auf Zuruf.	☐	☐	☐
14. Wenn Kollegen in meinem Büro ein Schriftstück suchen, haben sie in der Regel gute Chancen, es zu finden.	☐	☐	☐
15. Aus meiner Ablage mit den „interessanten Projekten" entwickeln sich eigentlich nie wirklich gute Einfälle.	☐	☐	☐
16. Ich mag es nicht, wenn an Telefon oder PC gelbe Zettelchen mit Notizen kleben.	☐	☐	☐
17. Ich beginne meinen Tag damit, dass ich mir einen Überblick über die zu erledigenden Projekte verschaffe.	☐	☐	☐
18. Zu Besprechungen außer Haus nehme ich Schriftstücke mit, die ich abarbeiten kann, für den Fall, dass Wartezeiten auftreten.	☐	☐	☐
19. Ich nehme meine Telefonanrufe meist nicht selber entgegen.	☐	☐	☐
20. Ich erwarte nicht, dass meine nachgeordneten Mitarbeiter jederzeit für ein spontanes Meeting ansprechbar sind.	☐	☐	☐

Quelle: Zeitplan-Test von Time/system

Mehr Informationen zu Zeitmanagement und Planersystemen finden Sie auch auf www.timesystem.de.

Selbst-Test: Welcher Organisations-Typ sind Sie?

Zeitplan-Test, Auflösung Teil 1: Zeitmanagement-Profil

Tragen Sie hinter jeder Frage die entsprechende Punktezahl ein und addieren Sie diese zu Ihrer Gesamtpunktzahl.

Frage 1: Ja (5), Nein (15), Unentschieden (10) _____

Frage 2: Ja (5), Nein (15), Unentschieden (10) _____

Frage 3: Ja (15), Nein (5), Unentschieden (10) _____

Frage 4: Ja (5), Nein (15), Unentschieden (10) _____

Frage 5: Ja (15), Nein (5), Unentschieden (10) _____

Frage 6: Ja (13), Nein (7), Unentschieden (10) _____

Frage 7: Ja (5), Nein (15), Unentschieden (10) _____

Frage 8: Ja (7), Nein (13), Unentschieden (10) _____

Frage 9: Ja (5), Nein (13), Unentschieden (10) _____

Frage 10: Ja (7), Nein (13), Unentschieden (10) _____

Frage 11: Ja (7), Nein (13), Unentschieden (10) _____

Frage 12: Ja (15), Nein (7), Unentschieden (10) _____

Frage 13: Ja (13), Nein (7), Unentschieden (10) _____

Frage 14: Ja (7), Nein (13), Unentschieden (10) _____

Frage 15: Ja (15), Nein (5), Unentschieden (20) _____

Frage 16: Ja (13), Nein (7), Unentschieden (10) _____

Frage 17: Ja (7), Nein (13), Unentschieden (10) _____

Frage 18: Ja (5), Nein (15), Unentschieden (10) _____

Frage 19: Ja (5), Nein (15), Unentschieden (10) _____

Frage 20: Ja (15), Nein (5), Unentschieden (10) _____

Gesamtpunktzahl: _____

Zeitplan-Test, Auflösung Teil 2: Strukturierungsgrad

Zählen Sie anhand der Buchstaben aus, ob Sie überwiegend A, B oder C ausgewählt haben. Falls Sie zum Beispiel ebenso oft A wie B angekreuzt haben, gehen Sie die Fragen bitte noch einmal durch und entscheiden sich dann, welcher Strukturierungstyp Ihnen am ehesten entspricht.

Lösungsmatrix:

Im Schnittfeld zwischen der Punktzahl aus Teil 1 und Teil 2 finden Sie Ihren Organisations-Typ:

Ergebnis Teil 1: 118 – 171 Punkte, dann Ergebnis Teil 2:

vorwiegend **A**: = Typ 1
vorwiegend **B**: = Typ 2
vorwiegend **C**: = Typ 3

Ergebnis Teil 1: 172 – 229 Punkte, dann Ergebnis Teil 2:

vorwiegend **A**: = Typ 4
vorwiegend **B**: = Typ 5
vorwiegend **C**: = Typ 6

Ergebnis Teil 1: 230 – 287 Punkte, dann Ergebnis Teil 2:

vorwiegend **A**: = Typ 7
vorwiegend **B**: = Typ 8
vorwiegend **C**: = Typ 9

Quelle: Zeitplan-Test von Time/system
Mehr Informationen zu Zeitmanagement und Planersystemen finden Sie auch auf www.timesystem.de.

Typ 1: Das flexible Improvisationstalent

Ihre Flexibilität wird von Ihren Kollegen sehr geschätzt. Sie sind kein Prinzipienreiter und beweisen selbst in kritischen Situationen ein beneidenswertes Improvisationstalent.

Organisationsprofil: Sie verfolgen das Prinzip der Schriftlichkeit und notieren sich, was Sie erledigen wollen. Dabei greifen Sie lieber zu Papier und Bleistift als zur PC-Tastatur. Obwohl Sie sich bemühen, Ihr Selbstmanagement in den Griff zu bekommen, gewinnt die Unordnung auf Ihrem Schreibtisch jedoch häufig die Oberhand. Ihr größter Zeitdieb: Wichtige Notizen machen Sie sich mit Vorliebe auf dem nächstbesten Zettel. Oft verbringen Sie deshalb viel Zeit damit, Ihre Notizen im allgemeinen Papierwust wieder aufzuspüren. Nicht selten bleiben wichtige Informationen auch ganz verschollen und Sie müssen wieder einmal Ihr Improvisationstalent ausspielen, um einen vergessenen Termin doch noch irgendwie einzuschieben.

Optimierungsvorschlag: Es spricht überhaupt nichts gegen Ihre Vorliebe für Papier und Bleistift. Aber von Ihrer unstrukturierten Zettelwirtschaft wollen Sie doch sicher wegkommen? Mit einem klassischen Planungs-System auf Papier fahren Sie dabei am besten. Hier können Sie Ihre geliebten Zettel in den entsprechenden Rubriken ablegen, beziehungsweise Ihre Notizen gleich in das richtige Formular eintragen.

Typ 2: Der klassische Organisations-Profi

Sie setzen auf Bewährtes und lassen sich nicht von kurzlebigen Moden blenden. Man schätzt Ihre Besonnenheit und Ihr klares Urteilsvermögen. Sie sind bestens organisiert, und das schon seit vielen Jahren, denn Sie haben gerne alles unter Kontrolle, vor allem Ihre persönliche Zeit.

Organisationsprofil: Gratulation. Sie gehören zu den Menschen, die ein sehr diszipliniertes Selbstmanagement betreiben. Mit Ihrem Planungssystem kommen Sie gut zurecht und es besteht tatsächlich kaum Optimierungsbedarf. Natürlich benutzen Sie ein Papier-System, etwas anderes wäre bei Ihrer Tätigkeit viel zu umständlich, das ist jedenfalls Ihre Erfahrung.

Optimierungsvorschlag: Verschließen Sie nicht grundsätzlich die Augen vor einer Software-Lösung. Netzwerkfähige Planungs-Systeme haben sich bereits auf breiter Front durchgesetzt. Denn der gemeinsame Zugriff auf die Termin-, Projekt-, und Ressourcenplanung schafft

Transparenz und erleichtert auch Ihren Mitarbeitern die Arbeitsorganisation enorm. Schnuppern Sie doch einmal in die elektronische Planungswelt hinein.

Typ 3: Der Anspruchsvolle

Sie planen Ihre Aufgaben und Projekte sehr systematisch und konsequent. Der Erfolg gibt Ihnen Recht. Doch häufig ist der persönliche Einsatz, den Sie zur Bewältigung ihrer zahlreichen Aufgaben leisten, sehr hoch.

Organisationsprofil: Ihr Planungsinstrument ist ein professionelles Management-System. Und das aus gutem Grund und wohl überlegt, denn in Ihrer Arbeitsumgebung ist es die vernünftigste Lösung. Vielleicht haben Sie manchmal das Gefühl, dass Projekte nicht so reibungslos laufen, wie sie eigentlich laufen könnten. Möglicherweise liegt es am Informationsfluss zwischen Ihnen und Ihren Mitarbeitern. Wenn Sie glauben, dass das Planungsinstrument, das Sie einsetzen, gerade in einer vernetzten Arbeitswelt immer häufiger an seine Grenzen stößt, lohnt sich für Sie die Überlegung, ob eine zusätzliche Softwarelösung Sie bei Ihren Planungsaufgaben unterstützen kann.

Optimierungsvorschlag: Gerade weil Sie ein professioneller Planer sind, sollten Sie sich die Möglichkeiten, die eine Planungs-Software bietet, einmal ansehen.

Natürlich, ohne auf Ihr bewährtes Planungsinstrument zu verzichten. Mit Computer-Ausdrucken können Sie die Vorteile beider Planungswelten möglicherweise sogar noch effektiver nutzen.

Typ 4: Der Ideengenerator

Man schätzt Ihre Menschenkenntnis und Ihre offene Art der Kommunikation. Bei der Analyse von Problemen verlassen Sie sich nicht nur auf Ihren analytischen Verstand. Ihre Intuition lässt Sie nur selten im Stich. Gerade weil Sie die Lösung oft jenseits der eingefahrenen Wege suchen, kommen Sie häufig schneller ans Ziel als andere Kollegen.

Organisationsprofil: Während sich Ihre Kollegen hinter ihrem Schreibtisch verschanzen und sich durch Berge von Papier quälen, betreiben Sie vor allem Kommunikation. Die besten Ideen kommen Ihnen ohnehin im Gespräch oder auf dem Golfplatz. Aber gerade Ihre intuitive Ader hat Sie bisher daran gehindert, sich richtig zu organisieren. Sicher: Ihre kommunikative Begabung macht Sie bei der Problemanalyse und Mitarbeiterführung sehr effektiv. Doch bei der Organisation Ihres Tagesgeschäfts sind Sie häufig das Opfer vieler lästiger Störfaktoren. Denken Sie nur an Ihre letzte Arbeitswoche: Permanent klingelte das Telefon, Mitarbeiter platzten unangemeldet in Ihr Büro und zu allem Überfluss waren auch noch wichtige Dokumente, Telefonnummern und Notizen plötzlich wie vom Erdboden verschwunden. Womöglich haben Sie wieder einmal nur einen Teil Ihres beabsichtigten Aufgabenpensums geschafft.

Optimierungsvorschlag: Mit einem konsequenten Selbstmanagement können Sie Störfaktoren deutlich reduzieren. Reservieren Sie sich beispielsweise täglich „stille Stunden", damit Sie Ihre Aufgaben konzentriert erledigen können. Gerade kreativen Menschen mit einer hohen kommunikativen Kompetenz fällt diese Abgrenzung jedoch oft sehr schwer. Eine wirkungsvolle Unterstützung bietet ein Selbstmanagement-Training. Hier erlernen Sie die grundlegenden Techniken für eine effektive Selbstorganisation. Und Sie bekommen vor allem auch eine praktische Hilfestellung, wie Sie diese erfolgreich in Ihrer Arbeitspraxis umsetzen können.

Typ 5: Der Allrounder

Ihre Stärke ist Ihre Vielseitigkeit. Sie arbeiten sich mit Leichtigkeit in neue Aufgabengebiete ein. Dabei haben Sie stets den Blick für das Wesentliche. Wenn Sie sich etwas vornehmen, dann setzen Sie das auch konsequent um. Denn Sie verfolgen stets klare Ziele.

Organisationsprofil: Eine effiziente Selbstorganisation ist die Basis Ihres Erfolgs. Sie haben es dabei bereits zu

einer hohen Virtuosität gebracht. Das Setzen von Prioritäten und Zielen ist für Sie selbstverständliche Voraussetzung, um sich möglichst effektiv in neue Arbeitsfelder einzuarbeiten. Doch was die Feinsteuerung Ihrer vielfältigen Aufgaben und Projekte betrifft, haben Sie noch keine ideale Lösung gefunden. Sie bevorzugen die handschriftliche Planung, denn Sie halten spontane Notizen lieber auf Papier als im Computer fest. Gleichzeitig möchten Sie jedoch sicherstellen, dass auch Ihre Teamkollegen Zugriff auf Ihre Planungsdaten haben und umgekehrt.

Optimierungsvorschlag: Versuchen Sie es doch einmal mit einer Kombination aus Papier-System und Software. Eine Kombi-Lösung schafft höchste Flexibilität und maximalen Durchblick. Aber Vorsicht vor einer doppelten Buchführung: Software und Papiersystem sollten unbedingt kompatibel sein. Planungscharts, Adressverzeichnisse etc., die auf PC erstellt werden, sollten auf alle Fälle formatgerecht ausdruckbar sein, damit man sie bequem im Papiersystem abheften kann. Denn nur so können Sie beide Systeme ohne großen Aufwand zuverlässig auf dem Laufenden halten.

Typ 6: Der Innovative

Ihre Neugier ist die treibende Kraft in Ihrem Leben. Sie suchen ständig nach Verbesserungen und geben sich nie mit dem Erreichten zufrieden. Und natürlich ruhen Sie sich nicht auf Ihrem Erfolg aus, sondern haben Spaß daran, auch Ihre eigenen Fähigkeiten immer weiter zu optimieren.

Organisationsprofil: Ihr Arbeitsalltag ist strukturiert und von Ihnen bewusst geplant. Sie können wichtige von dringenden Aufgaben unterscheiden und lassen sich kaum ablenken. Als Planungsinstrument setzen Sie sicherlich ein klassisches System mit Ringmechanik ein. Ihre berühmte Neugierde hat Sie aber längst dazu getrieben, auch andere Planungsinstrumente auszuprobieren. Wahrscheinlich haben Sie schon mehrere Generationen von elektronischen Organizern kennen gelernt. Und sicherlich sind Sie auch mit den unterschiedlichsten PC-Planungslösungen vertraut.

Optimierungsvorschlag: Ihre Offenheit für alles Neue ist eine gute Sache. Aber Vorsicht: Wer gleichzeitig einen Mix aus verschiedenen Planungs-Systemen nutzt, sollte streng darauf achten, dass sie untereinander auch kompatibel sind. Ansonsten besteht die Gefahr, dass die Systeme nicht auf einem einheitlichen und aktuellen Planungsstand gehalten werden. Statt mehr Durchblick zu erzeugen, kann die Vielfalt leicht Verwirrung stiften. So sollte ein Datenaustausch zwischen Organizer und Computer eben-

so einfach möglich sein wie der formatgenaue Ausdruck der elektronischen Planung für die Integration in das Papier-System.

Typ 7: Der Wanderer zwischen den Welten

Der Computer ist Ihre Nabelschnur zur Welt. Auch wenn Sie das Büro verlassen, ist Ihr Notebook immer dabei. Obwohl Sie keinerlei Berührungsängste mit neuen Informationstechnologien haben, zeigen Sie sich in einem Punkt konservativ: Ihre Termine, Kontakte und Aufgaben halten Sie am liebsten mit Papier und Bleistift fest. Sie haben sie gerne schwarz auf weiß, nämlich auf Papier und nicht am Bildschirm vor sich.

Organisationsprofil: Sie bemühen sich, alle Termine, Kontakte und Aufgaben schriftlich festzuhalten. Dass Sie sich aber Ihre wichtigen Notizen häufig nur auf gelbe Zettelchen machen, bringt Sie wahrscheinlich manchmal in Bedrängnis. Denn womöglich wissen Sie am Abend nicht mehr so genau, wo Sie sich was notiert haben.

Optimierungsvorschlag: Machen Sie Schluss mit der Zettelwirtschaft und vertrauen Sie Ihre Planungsdaten und Notizen einem Planungs-System auf Papier an. Und sollten Sie sich doch überlegen, demnächst Ihre Termine am PC zu verwalten, können Sie Ihre Planungsdaten ja jederzeit ausdrucken und in Ihr Planungs-System integrieren.

Typ 8: Der Stratege

Sie sind ein guter Stratege und haben Ihre Planung fest im Griff. Mit Ihrem Computer möchten Sie allerdings nicht mehr als unbedingt nötig zu tun haben. Als ständiger Generator von Problemen kostet Sie Ihr Computerknecht ohnehin schon viel zu viel Zeit.

Sie haben auch innerhalb Ihrer Projektgruppe einen zuverlässigen Überblick über die Terminsituation und den aktuellen Projektstatus. Die Kehrseite der Medaille: Der Abstimmungsaufwand zwischen Ihnen und den einzelnen Teammitgliedern ist überaus hoch. Auch Sie müssen täglich sehr viele Informationen auswerten, um sich in Ihrer Projektgruppe auf dem Laufenden zu halten.

Optimierungsvorschlag: Beim vernetzten Arbeiten in der Gruppe ist eine computergestützte Lösung unschlagbar. Man kann hier Termine automatisch in die Kalender der Mitarbeiter eintragen, sich jederzeit Übersicht über den aktuellen Status verschiedenster Projekte verschaffen und vieles mehr. Also, lassen Sie den PC für sich arbeiten, Sie werden erstaunt sein, wie benutzerfreundlich die richtige Software sein kann. Aber natürlich müssen Sie Ihr Schicksal nicht ganz in die Hände des Rechenknechts

legen. Dafür gibt es ja noch das klassische Planungs-System auf Papier, das Sie jederzeit bei sich tragen können.

Typ 9: Der Perfektionist

Respekt, Sie kennen die Grundregeln des Selbstmanagements aus dem Effeff. Ihr Arbeitstag ist konsequent durchstrukturiert, und Sie haben wirklich alles gut im Griff. Je nach Anforderung sind Sie in beiden Planungswelten – Papier und EDV – zu Hause. Da Sie viel am PC arbeiten, haben Sie sich hier ideal „eingerichtet", mit allem, was Sie brauchen: Tagesübersicht, Terminplanung, Projektplanung. Auch der Zugriff auf die Daten aus Ihrem Team ist per Netzwerk kein Problem.

Wenn Sie sich am Abend mit Geschäftsfreunden zum Abendessen treffen, ist sicher auch Ihr Planungs-System auf Papier dabei. Sie sind ein absoluter Profi der Selbstorganisation – Glückwunsch!

Quelle: Zeitplan-Test von Time/system
Mehr Informationen zu Zeitmanagement und Planersystemen finden Sie auch auf www.timesystem.de.

Bleiben Sie konsequent

Gewöhnen Sie sich an, den kommenden Arbeitstag schriftlich bereits am Ende des aktuellen Arbeitstages zu planen. Visualisieren Sie den Ablauf des Folgetages!
Überlegen Sie also, welches die wichtigsten Aufgaben sind, die Sie am nächsten Tag erledigen müssen. Legen Sie schriftlich eine Zeit fest, in der dies geschehen soll.

Der psychologische Hintergrund:

> Schon auf der Fahrt nach Hause und dem morgendlichen Weg ins Büro verarbeitet Ihr Unterbewusstsein diese Aufgaben und hält mögliche Lösungen bereit.
> Da Sie nun Ihre Hauptaufgabe vor Augen und Lösungsansätze im Hintergrund sehen, steht Ihnen der neue, arbeitsreiche Tag nicht mehr wie eine graue, schwere Last bevor, sondern wird durchsichtig, plan- und greifbar.
> Sie lassen sich dann weniger leicht durch Nebensächlichkeiten ablenken, mit deren Hilfe Sie früher die Hauptaufgaben gern und immer wieder – vor sich hergeschoben haben, bis sie

> Tipp

Ein arbeitsreicher Tag muss noch lange keinen Stress bedeuten.
Im Gegenteil: Eine gut gelöste, schwierige Aufgabe wird Befriedigung und sogar ein Gefühl der Erholung bringen.
Denn Stress kommt nicht von den Dingen, die wir erledigt haben, sondern von dem, was wir nicht bewältigt haben: Was wir nicht schaffen, das schafft uns!
Stress ist beispielsweise auch ein schlechtes Gewissen.

schließlich nur noch unter Zeitdruck, mit Überstunden und meist weniger befriedigend erledigt werden konnten.

... und nochmals: Seien und bleiben Sie konsequent, wenn Sie mit schriftlichen Tagesplänen und Prioritäten arbeiten. Ein Zeitplanbuch erfordert in der Startphase eine gewisse Selbstdisziplin – wie jeder gute Vorsatz, aber er lohnt sich.

Ihre Zielplanung dient Ihnen zur Sicherstellung des Erreichens Ihrer Wünsche und Ziele. Verschaffen Sie sich dabei auch die Unterstützung Ihrer Umwelt.

Ich wünsche Ihnen mehr Zeit und viel Erfolg!

> Buchtipps

> Küstenmacher, Werner Tiki,
mit Seiwert, Lothar J.:
Simplify Your Life.
Einfacher und glücklicher leben.
10. Aufl. Frankfurt und New York:
Campus, 2003
(Wege zu einem Leben ohne Ballast;
einfache Techniken, sofort umsetz-
bare Tipps, schöne Cartoons).

> LexmarkTM-Studie:
**Zeitmanagement im Privat- und
Geschäftsleben**. Dietzenbach:
Lexmark Deutschland GmbH,
Oktober 2001 (www.lexmark.de).

> Seiwert, Lothar:
**Das Bumerang-Prinzip:
Mehr Zeit fürs Glück.**
Life-Balance: Gesünder, erfolg-
reicher und zufriedener leben.
EXTRA: Mit Bumerang und
Zeit-Guide.
2. Aufl. München: Gräfe und Unzer,
2003 (www.bumerang-prinzip.de)
(neuer, motivierender Ratgeber).

> Seiwert, Lothar J.:
Life-Leadership.
Sinnvolles Selbstmanagement für
ein Leben in Balance.
Frankfurt und New York:
Campus, 2001
(weg von einem ge-füllten –
hin zu einem er-füllten Leben).

> Seiwert, Lothar J.:
Mehr Zeit für das Wesentliche.
20. Aufl. München: Redline
Wirtschaft, 2002
(der „Klassiker" unter den Zeit-
management-Lehrbüchern).

> Seiwert, Lothar J.:
**Wenn du es eilig hast,
gehe langsam.**
Das neue Zeitmanagement in einer
beschleunigten Welt.
8. Aufl. Frankfurt und New York:
Campus, 2003
(u. a. Erarbeitung der persönlichen
Lebensvision und -ziele).

> Seiwert, Lothar J. und
Gay, Friedbert:
Das 1 X 1 der Persönlichkeit.
Sich selbst und andere besser ver-
stehen mit dem DISG-Persönlich-
keits-Modell.
9. Aufl. Offenbach: GABAL, 2002
(praktische Tipps zu Zeit-/Selbst-
management und Persönlichkeit).

> Seiwert, Lothar J. und
Kammerer, Doro:
Endlich Zeit für mich!
Wie Frauen mit Zeitmanagement
Arbeit und Privatleben unter einen
Hut bringen.
2. Aufl. Landsberg: mvg, 2000
(Zeit-Ratgeber speziell für Frauen
im Dauerstress ...).

Informations- und Beratungsdienste

> **ORG: Der persönliche Organisations-Berater**. Das Beratungs-Programm zu allen relevanten Fragen der Büro-Organisation, des Zeitmanagements und des Selbst-Managements. Loseblatt-Zeitschrift. Bonn: VNR Verlag für die deutsche Wirtschaft, 2000 ff.
www.org-online.de

> **Simplify Your Life**.
Einfacher und glücklicher leben. Monatlicher persönlicher Beratungsdienst.
Bonn: VNR Verlag für die deutsche Wirtschaft, 1999 ff.
www.simplify.de

> **Smart Working**. Gelassenheit durch gute Organisation. Monatlicher persönlicher Organisationsbrief.
Bonn: VNR Verlag für die deutsche Wirtschaft, 2000 ff.
www.smart-working.de

> **Lothar J. Seiwert-Brief**:
WORK-LIFE-COACHING – für ein Leben in Balance. Monatlicher Beratungs- und Trainingsbrief.
München: Aktuell Verlag im Olzog Verlag, 2000 ff.
www.coaching-briefe.de

Elektronische Newsletter

> **Checkletter.** 14-tägiger Checklisten-Newsletter, der Infos zu neuen Checklisten sowie nützliche Tipps und Sofort-Hilfen rund ums Privat- und Berufsleben enthält (kostenlos): www.checklisten.com

> **Get Abstract Book Summary**. Regelmäßige 5-seitige Zusammenfassungen der wichtigsten Businessbücher: www.getabstract.com

> **Managementwissen online.** Umfangreicher Service, der alle relevanten Buch- und Zeitschriftenveröffentlichungen rund um das Thema Management auswertet und zusammenfasst (kostenlos, erscheint wöchentlich): www.mwonline.de

> **Seiwert-Tipp.** Kurzer, knapper Newsletter mit praktisch umsetzbarem Sofort-Nutzen (kostenlos, erscheint wöchentlich): www.seiwert.de

> **Simplify-Mail.** Motivationsletter mit nur einem (!) wichtigen Tipp (kostenlos): www.simplify.de

> **Zeit zu leben-Newsletter.** Führender Online-Ratgeber für Zufriedenheit, Erfolg und Lebensqualität (kostenlos, erscheint wöchentlich): www.zeitzuleben.de

Übersicht

Ihr persönlicher Maßnahmenplan

Was werde ich ab heute umsetzen, um mein persönliches Zeitmanagement nachhaltig zu verbessern?

Aktivität auf Seite(n)	Priorität A	B	C	Was? (Gedanke, Methode, Thema etc.)	Erledigt bis	Kontrolle OK ✓

>Impressum

© 2002 Gräfe und Unzer Verlag GmbH,
München.

Alle Rechte vorbehalten. Nachdruck, auch
auszugsweise, sowie Verbreitung durch Bild,
Funk, Fernsehen und Internet, durch fotome-
chanische Wiedergabe, Tonträger und Daten-
verarbeitungssysteme jeder Art nur mit
schriftlicher Genehmigung des Verlages.

Konzept und Redaktionsleitung:
Steffen Haselbach
Lektorat: Dunja Götz-Ehlert
Red. Mitarbeit: Dagmar Rosenberger
Autorenfoto: Gaby Gerster
Weitere Fotos: Andreas Hosch

Umschlag und Gestaltung:
independent Medien-Design
Petra Schmidt, Bettina Stickel
Herstellung: Renate Hutt
Satz: Filmsatz Schröter, München
Repro: w & co Media Services, München
Druck und Bindung: Appl, Wemding

ISBN: 3-7742-5670-5
Danksagung
Für die geleistete Unterstützung danken wir:
daybyday Media, tempus, Time/systems, VNR
Verlag.

Umwelthinweis
Dieses Buch wurde auf chlorfrei gebleichtem
Papier gedruckt. Um Rohstoffe zu sparen,
haben wir auf Folienverpackung verzichtet.

Wichtiger Hinweis
Die Beiträge in diesem Buch sind sorgfältig
recherchiert und entsprechen dem aktuellen
Stand.
Abweichungen, beispielsweise durch seit
Drucklegung geänderte Preise, Gebühren,
Anlageentwicklungen, WWW-Adressen etc.
sind nicht auszuschließen.
Weder Autor noch Verlag können für eventuel-
le Nachteile oder Schäden, die aus den im
Buch gegebenen praktischen Hinweisen resul-
tieren, eine Haftung übernehmen.

Auflage	4.	3.	2.
Jahr	05	04	03

DER NEUE SEIWERT

Mehr Zeit fürs Glück

ISBN 3-7742-5561-x
240 Seiten | € 22,90 [D]

So bringen Sie Ihr Leben in Balance: mit typgerechten Lebens-Management-Strategien und wirkungsvollen Tipps aus den Bereichen Gesundheit, Psychologie und Ernährung. Zum Herausnehmen: Bumerang und »Zeit-Guide«

Gutgemacht. Gutgelaunt.